A-Z CHESTER

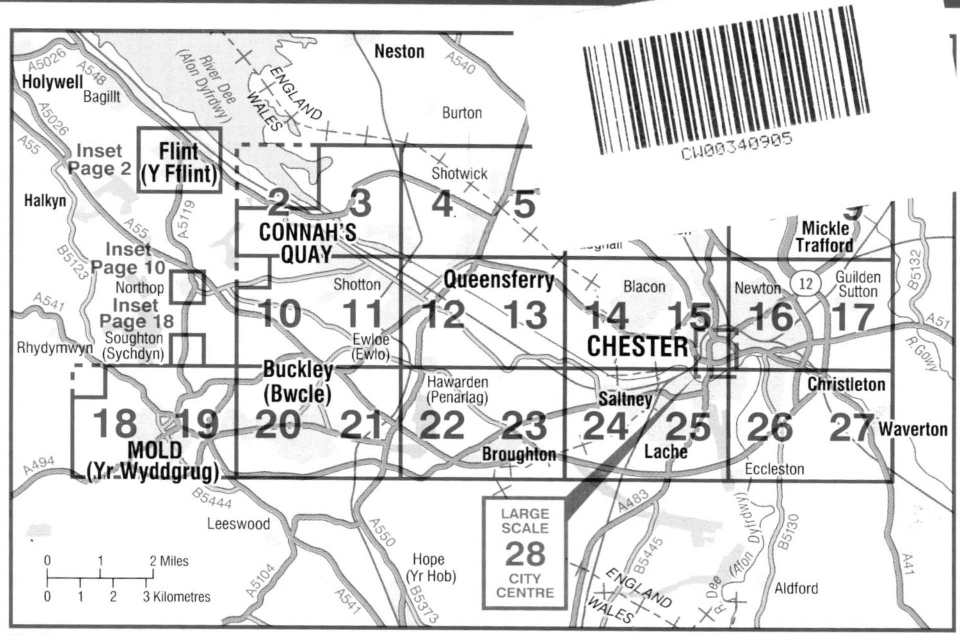

Reference

Motorway	M53	**Police Station**	▲
A Road	A55	**Post Office**	★
B Road	B5129	**Toilet** with facilities for the Disabled	▽ / ♿
Dual Carriageway		**Educational Establishment**	⌐
One Way Street Traffic flow on A roads is indicated by a heavy line on the driver's left.	→	**Hospital or Hospice**	⌐
All one way streets are shown on Large Scale Page 28	→	**Industrial Building**	⌐
Restricted Access		**Leisure or Recreational Facility**	⌐
Pedestrianized Road		**Place of Interest**	⌐
Track & Footpath		**Public Building**	⌐
Residential Walkway		**Shopping Centre or Market**	⌐
Railway Tunnel / Station / Level Crossing		**Other Selected Buildings**	⌐

Built Up Area

Local Authority Boundary — · —

National Boundary · + · + ·

Postcode Boundary — —

Map Continuation 12 / Large Scale City Centre 28

Car Park Selected ▣

Church or Chapel †

City Wall Large Scale only ⨅⨅⨅

Fire Station ■

Hospital Ⓗ

House Numbers A & B Roads only 27 / 8

Information Centre ⅰ

National Grid Reference 365

Scale

Map Pages 2-27	Map Page 28
1:19,000 3⅓ inches (8.47 cm) to 1 mile	1:9,500 6⅔ inches (16.94 cm) to 1 mile
5.26 cm to 1 kilometre	10.53 cm to 1 kilometre
0 ¼ ½ Mile	0 ⅛ ¼ Mile
0 250 500 750 Metres	0 100 200 300 400 Metres

Geographers' A-Z Map Company Limited

Head Office :
Fairfield Road, Borough Green, Sevenoaks, Kent TN15 8PP
Tel: 01732 781000
Showrooms :
44 Gray's Inn Road, London WC1X 8HX
Tel: 020 7440 9500

This map is based upon Ordnance Survey mapping with the permission of The Controller of Her Majesty's Stationery Office.
© Crown Copyright licence number 399000. All rights reserved.
EDITION 2 2000
Copyright © Geographers' A-Z Map Co. Ltd. 2000

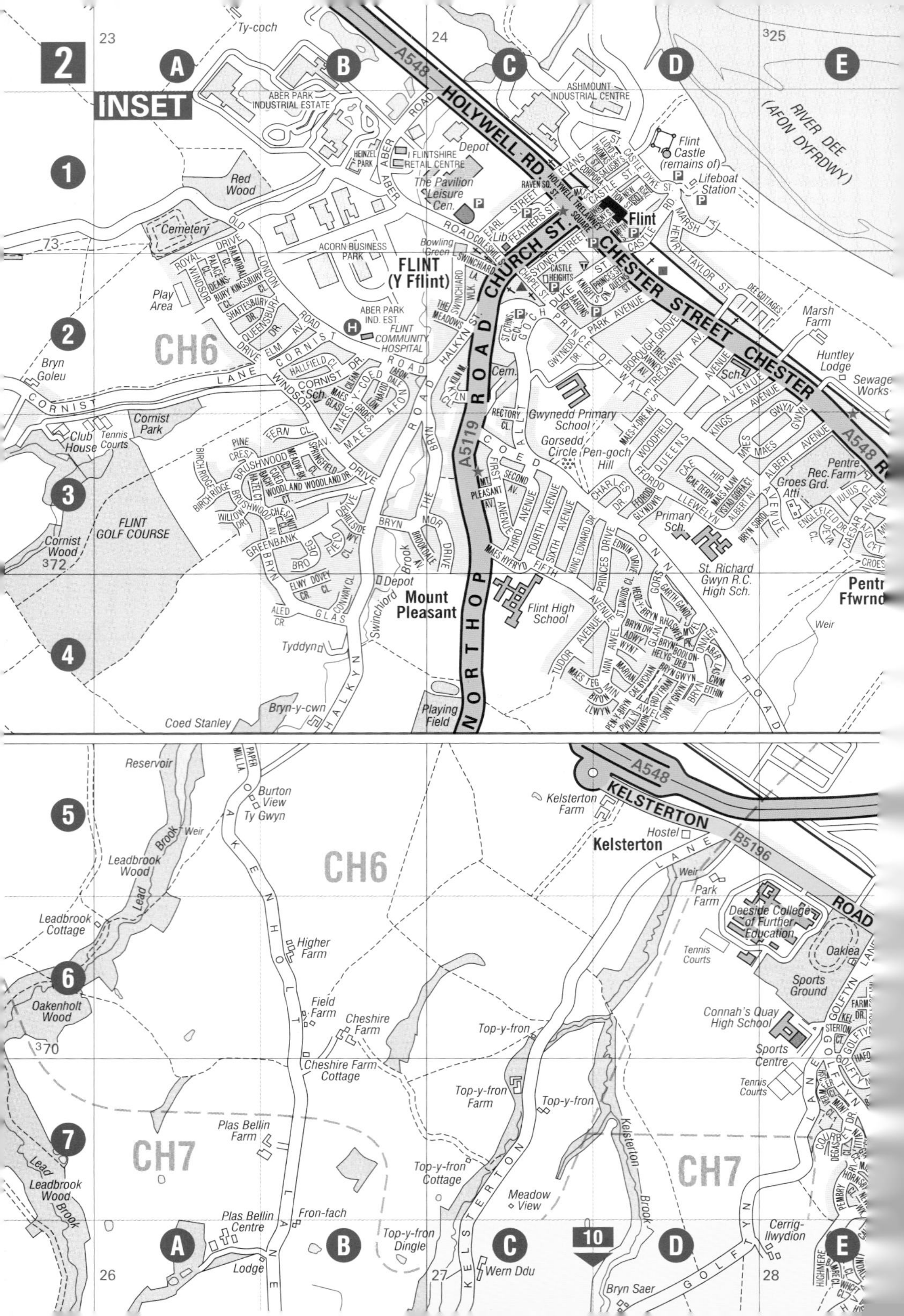

2
INSET
A
B
C
D
E
1
2
3
4
5
6
7
23
24
325
26
27
28
73
372
370
Ty-coch
ABER PARK INDUSTRIAL ESTATE
ASHMOUNT INDUSTRIAL CENTRE
HOLYWELL RD.
A548
RIVER DEE (AFON DYFRDWY)
Flint Castle (remains of)
Lifeboat Station
Red Wood
Cemetery
HEINZEL PARK
FLINTSHIRE RETAIL CENTRE
Depot
The Pavilion Leisure Cen.
Flint
ACORN BUSINESS PARK
FLINT (Y Fflint)
Bowling Green
CHURCH ST.
CHESTER STREET
CHESTER
Play Area
CH6
Bryn Goleu
ABER PARK IND. EST.
FLINT COMMUNITY HOSPITAL
CORNIST LANE
Cornist Sch.
Cornist Park
Club House
Tennis Courts
Gwynedd Primary School
Gorsedd Circle
Pen-goch Hill
Marsh Farm
Huntley Lodge
Sewage Works
Pentre Rec. Farm
Groes Atti
Primary Sch.
St. Richard Gwyn R.C. High Sch.
Pentre Ffwrnd
Weir
FLINT GOLF COURSE
Cornist Wood
NORTHOP ROAD
A5119
Mount Pleasant
Flint High School
Depot
Swinchiord Brook
Tyddyn
Bryn-y-cwn
Coed Stanley
Playing Field
Reservoir
Burton View
Ty Gwyn
Leadbrook Wood
Lead Brook
Leadbrook Cottage
Oakenholt Wood
OAKENHOLT LANE
Higher Farm
Field Farm
Cheshire Farm
Cheshire Farm Cottage
Plas Bellin Farm
CH7
Plas Bellin Centre
Fron-fach
Lodge
Kelsterton Farm
KELSTERTON
Kelsterton
Hostel
B5196
Park Farm
Deeside College of Further Education
Tennis Courts
Oaklea
Sports Ground
Connah's Quay High School
Sports Centre
Top-y-fron
Top-y-fron Farm
Top-y-fron Cottage
Top-y-fron Dingle
Meadow View
Kelsterton Brook
Wern Ddu
Bryn Saer
Cerrig-llwydion
GOLFTYN LANE
ROAD
10

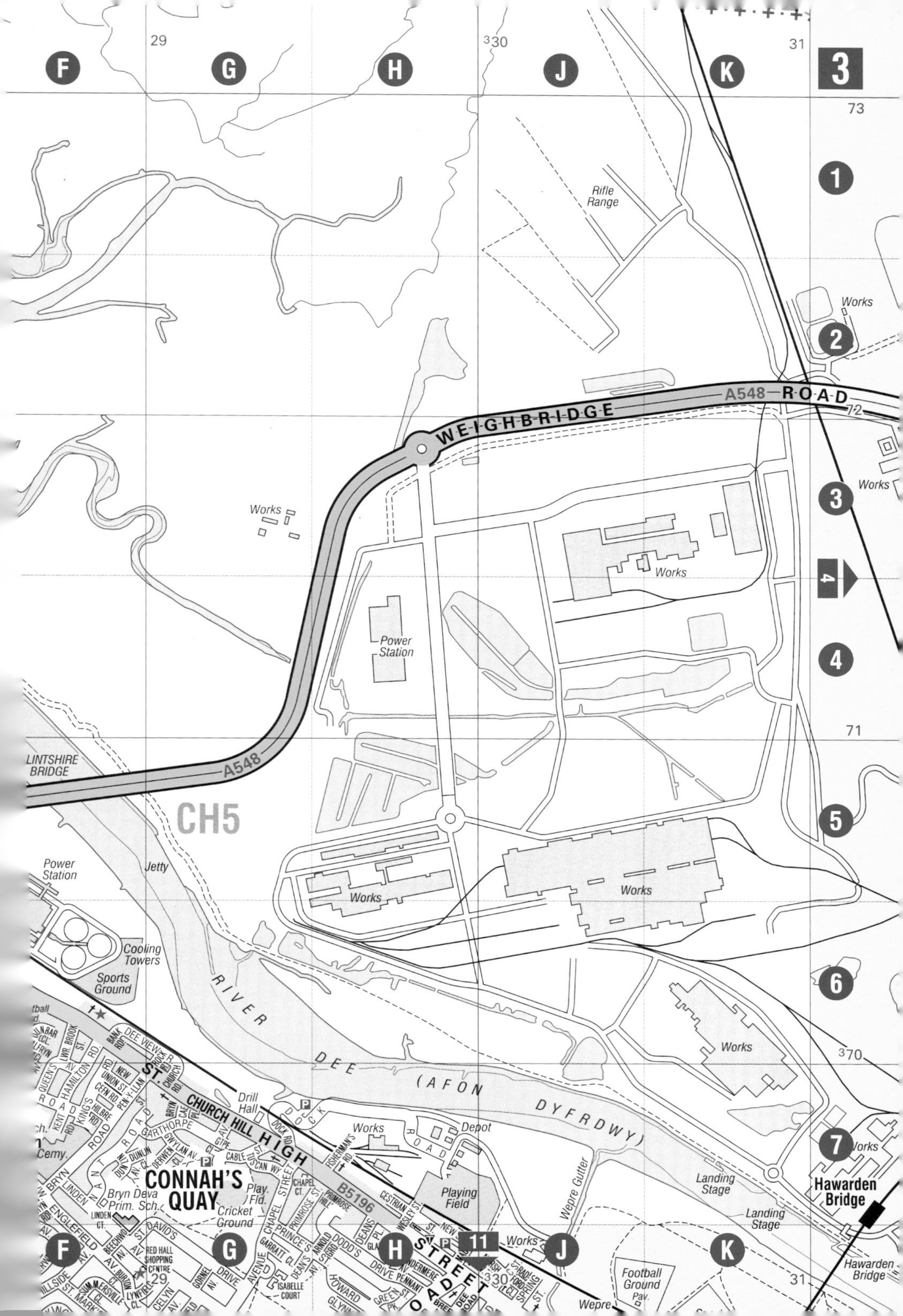

F
G
H
J
K
29
330
31
73
72
71
370
1
2
3
4
5
6
7
Rifle Range
Works
WEIGHBRIDGE
A548 ROAD
Power Station
A548
FLINTSHIRE BRIDGE
CH5
Jetty
Cooling Towers
Sports Ground
RIVER DEE (AFON DYFRDWY)
Drill Hall
DOCK ROAD
Depot
Playing Field
Wepre Gutter
Landing Stage
Hawarden Bridge
CHURCH ST.
HIGH STREET
B5196
CONNAH'S QUAY
Bryn Deva Prim. Sch.
Cricket Ground
Play. Fld.
Cemy.
RED HALL SHOPPING CENTRE
Football Ground
Pav.
ISABELLE COURT
Wepre

4

11

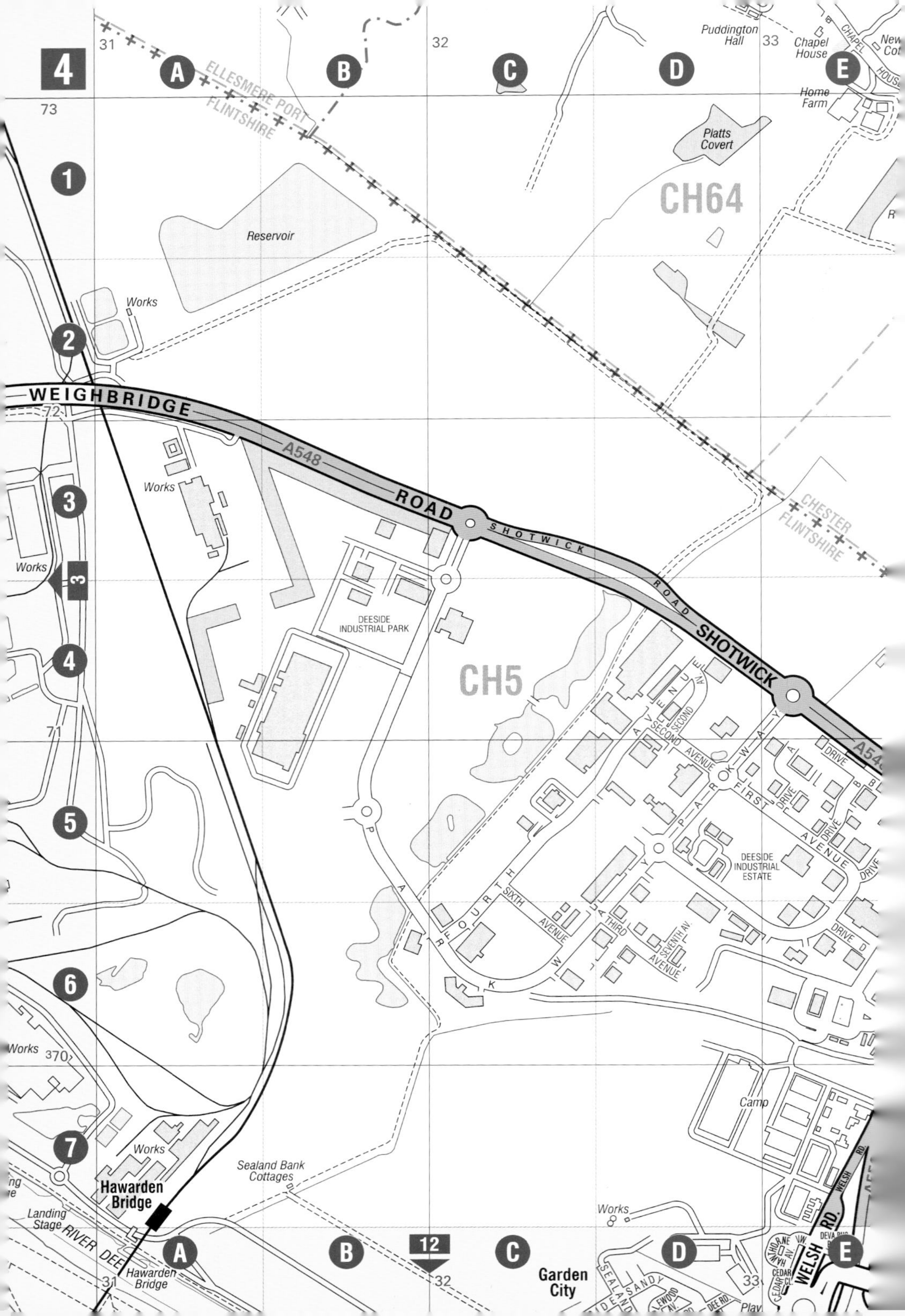

Puddington Hall
Chapel House
New Cot
Home Farm
ELLESMERE PORT
FLINTSHIRE
Platts Covert
CH64
Reservoir
Works
WEIGHBRIDGE ROAD
A548
SHOTWICK ROAD
CHESTER
FLINTSHIRE
DEESIDE INDUSTRIAL PARK
CH5
SECOND AVENUE
FIRST AVENUE
FOURTH AVENUE
SIXTH AVENUE
THIRD AVENUE
SEVENTH AV.
PARKWAY
DEESIDE INDUSTRIAL ESTATE
DRIVE
Camp
Sealand Bank Cottages
Hawarden Bridge
Landing Stage
RIVER DEE
Garden City
WELSH RD.
SANDY
SEALAND
DEE RD.
CEDAR CL.

3
12

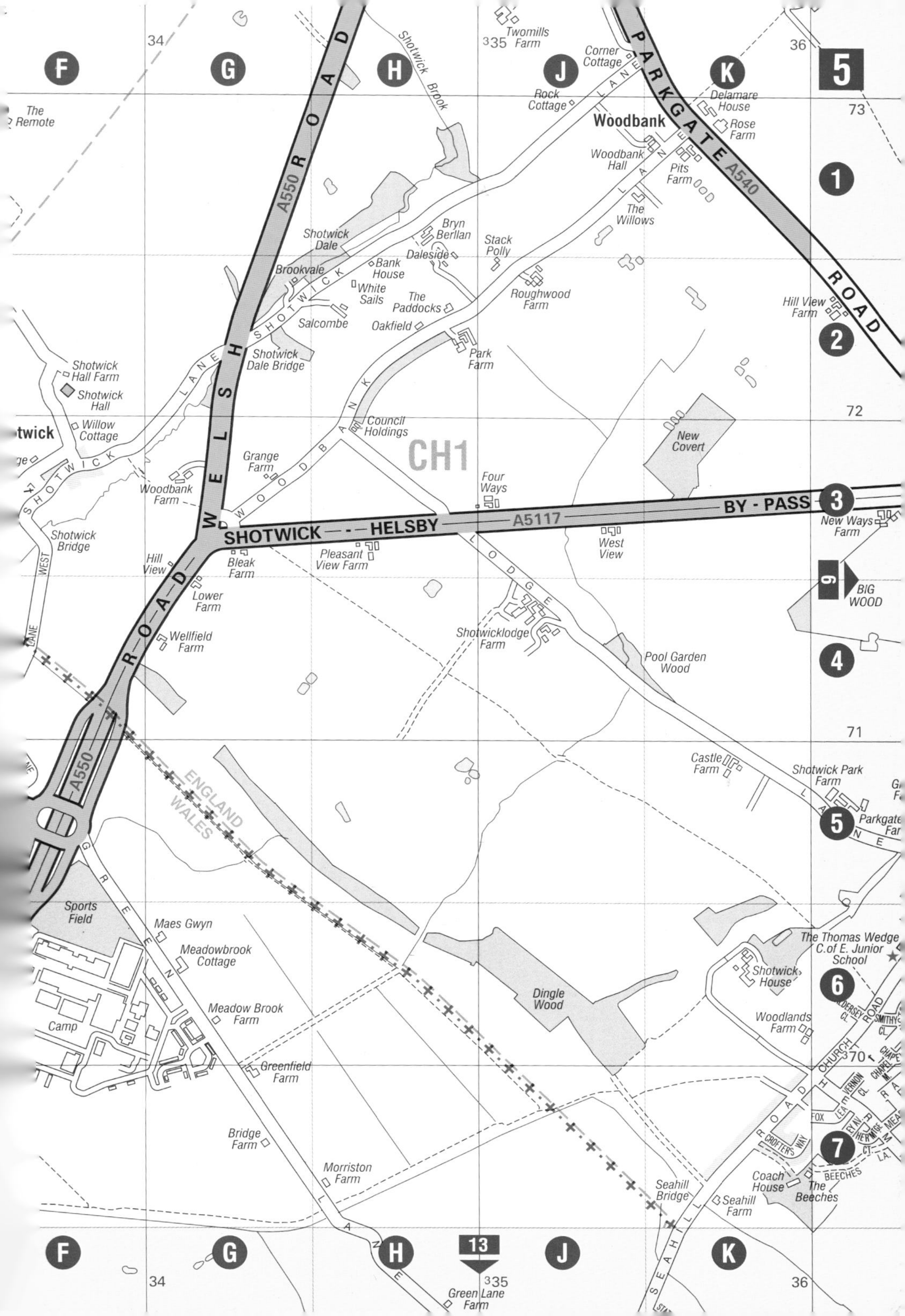

5
F
G
H
J
K
1
2
3
4
5
6
7
34
335
36
73
72
71
70
CH1
The Remote
Twomills Farm
Corner Cottage
Rock Cottage
Delamare House
Rose Farm
Woodbank
Woodbank Hall
Pits Farm
The Willows
Shotwick Brook
WELSH ROAD
A550
PARKGATE ROAD
A540
Shotwick Dale
Bryn Berllan
Stack Polly
Daleside
Brookvale
Bank House
White Sails
The Paddocks
Roughwood Farm
Hill View Farm
Salcombe
Oakfield
SHOTWICK LANE
Shotwick Dale Bridge
Park Farm
Shotwick Hall Farm
Shotwick Hall
Willow Cottage
Council Holdings
WOODBANK LANE
New Covert
Grange Farm
Woodbank Farm
Four Ways
Shotwick Bridge
SHOTWICK - - HELSBY BY-PASS
A5117
New Ways Farm
West View
Hill View
Bleak Farm
Pleasant View Farm
9
BIG WOOD
WEST LANE
Lower Farm
LODGE LANE
Wellfield Farm
Shotwicklodge Farm
Pool Garden Wood
Castle Farm
Shotwick Park Farm
ENGLAND
WALES
Parkgate
Sports Field
GREEN LANE
Maes Gwyn
Meadowbrook Cottage
The Thomas Wedge C.of E. Junior School
Shotwick House
Dingle Wood
Meadow Brook Farm
Camp
Woodlands Farm
CHURCH ROAD
Greenfield Farm
CROFTERS WAY
Bridge Farm
Morriston Farm
Coach House
The Beeches
BEECHES
Seahill Bridge
Seahill Farm
SEAHILL
13
Green Lane Farm

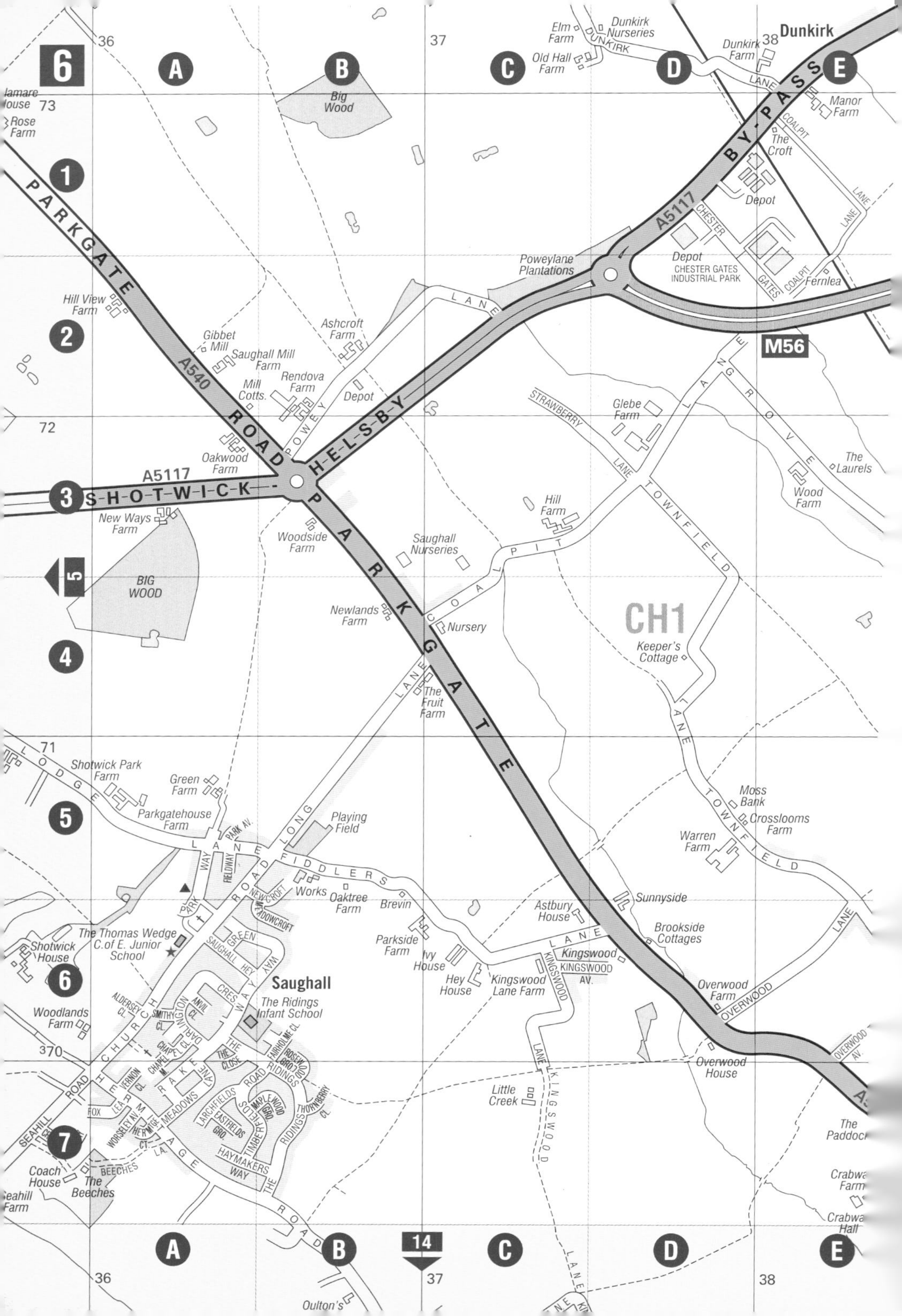
6
A
B
C
D
E
36
37
38
73
72
71
370
1
2
3
4
5
6
7
Dunkirk
Elm Farm
Dunkirk Nurseries
Old Hall Farm
Dunkirk Farm
Manor Farm
The Croft
Depot
Big Wood
Rose Farm
PARKGATE ROAD
A540
A5117
BY-PASS
HELSBY
SHOTWICK
Poweylane Plantations
Depot
CHESTER GATES INDUSTRIAL PARK
Fernlea
M56
Hill View Farm
Gibbet Mill
Saughall Mill Farm
Ashcroft Farm
Mill Cotts.
Rendova Farm
Depot
Oakwood Farm
Glebe Farm
The Laurels
Wood Farm
Hill Farm
New Ways Farm
Woodside Farm
Saughall Nurseries
BIG WOOD
5
Newlands Farm
Nursery
CH1
Keeper's Cottage
The Fruit Farm
Shotwick Park Farm
Green Farm
Parkgatehouse Farm
Playing Field
Moss Bank
Crosslooms Farm
Warren Farm
Works
Oaktree Farm
Brevin
Sunnyside
Astbury House
Brookside Cottages
The Thomas Wedge C.of E. Junior School
Shotwick House
Parkside Farm
Ivy House
Hey House
Kingswood
Kingswood Lane Farm
Saughall
The Ridings Infant School
Woodlands Farm
Overwood Farm
Overwood House
Little Creek
The Paddock
Coach House
The Beeches
Seahill Farm
Crabwall Farm
Crabwall Hall
Oulton's
14
LODGE LANE
LONG LANE
FIDDLERS LANE
TOWNFIELD LANE
STRAWBERRY LANE
COALPIT LANE
POWEY LANE
LANGROVE
KINGSWOOD LANE
KINGSWOOD AV.
OVERWOOD LANE
OVERWOOD AV.
CHESTER GATES
HERMITAGE ROAD
SEAHILL ROAD
CHURCH ROAD
THE RIDINGS
HAYMAKERS WAY

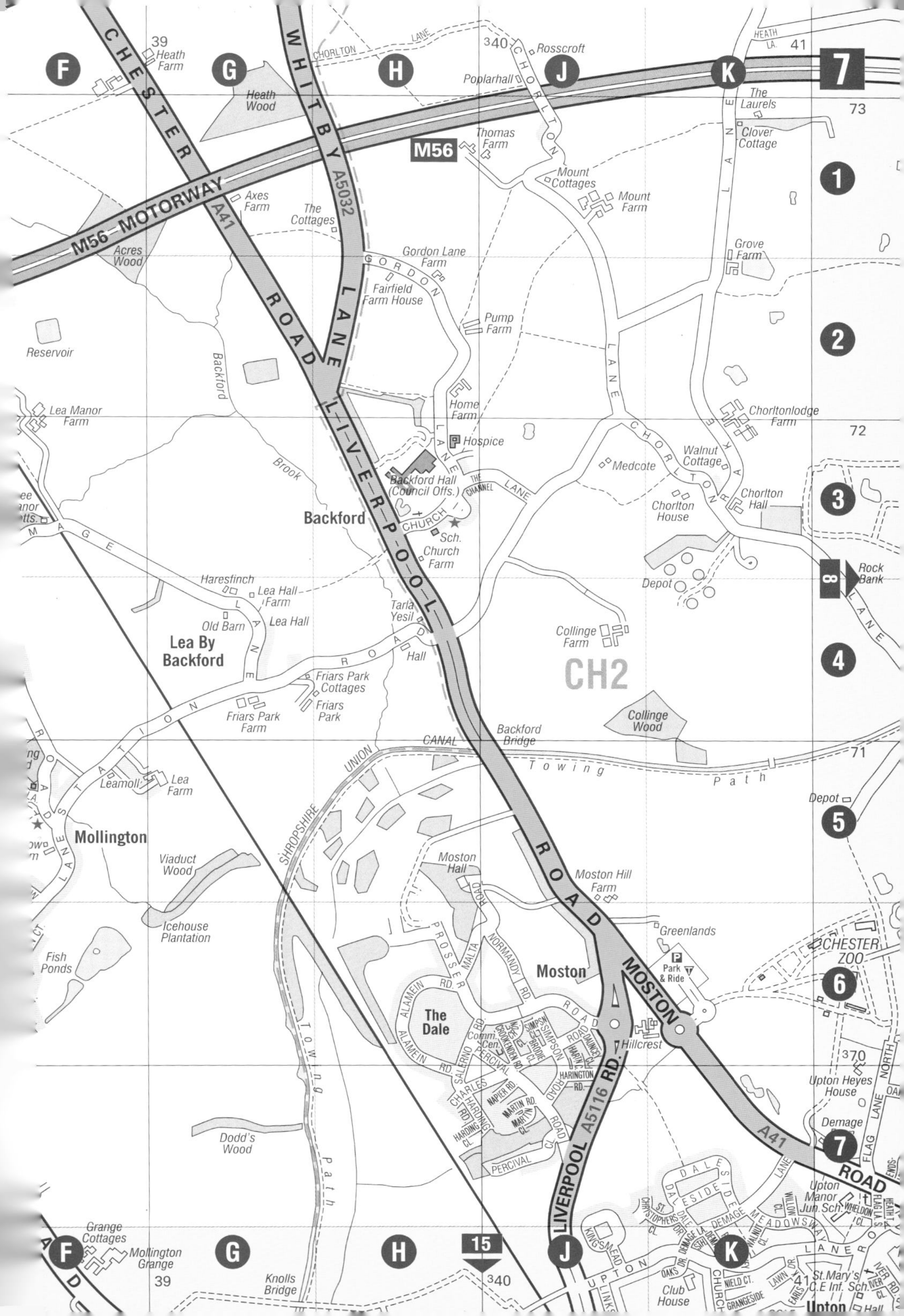

F
G
H
J
K
7
39
340
41
73
72
71
370
1
2
3
4
5
6
7
8
15
Heath Farm
Heath Wood
CHESTER
WHITBY
CHORLTON LANE
Rosscroft
Poplarhall
HEATH LA.
The Laurels
Clover Cottage
Thomas Farm
M56
M56 MOTORWAY
A41
A5032
Axes Farm
The Cottages
Mount Cottages
Mount Farm
Acres Wood
Grove Farm
Gordon Lane Farm
GORDON
Fairfield Farm House
Pump Farm
Reservoir
Backford
ROAD
LANE
LIVERPOOL
Lea Manor Farm
Home Farm
Hospice
Chortonlodge Farm
Walnut Cottage
Medcote
Brook
Backford Hall (Council Offs.)
THE CHANNEL
CHURCH
Sch.
Church Farm
Chorlton Hall
Chorlton House
Rock Bank
Depot
Haresfinch
Lea Hall Farm
Lea Hall
Old Barn
Lea By Backford
Tarla Yesil
Hall
Collinge Farm
CH2
Friars Park Cottages
Friars Park
Friars Park Farm
STATION
Collinge Wood
Backford Bridge
CANAL
UNION
Towing Path
Leamoll
Lea Farm
Mollington
SHROPSHIRE
Viaduct Wood
Moston Hall
Moston Hill Farm
Icehouse Plantation
Greenlands
Fish Ponds
PROSSER
MALTA
NORMANDY RD.
Moston
Park & Ride
CHESTER ZOO
ALAMEIN RD.
The Dale
MOSTON
Hillcrest
Comm. Cen.
SIMPSON
SALERNO
PERCIVAL
HARINGTON RD.
CHARLES
NAPIER RD.
MARTIN RD.
HARDING CL.
A5116
Upton Heyes House
Demage
FLAG LANE NORTH
Dodd's Wood
PERCIVAL CL.
DALESIDE
ST. CHRISTOPHERS CL.
Upton Manor Jun. Sch.
WHELDON CL.
MEADOWSWAY
Grange Cottages
Mollington Grange
KING'S MEAD
UPTON
OAKS DR.
Club House
NIELD CT.
GRANGESIDE
CHURCH
LAWN DR.
EARLS
St. Mary's C.E Inf. Sch.
Knolls Bridge
Upton

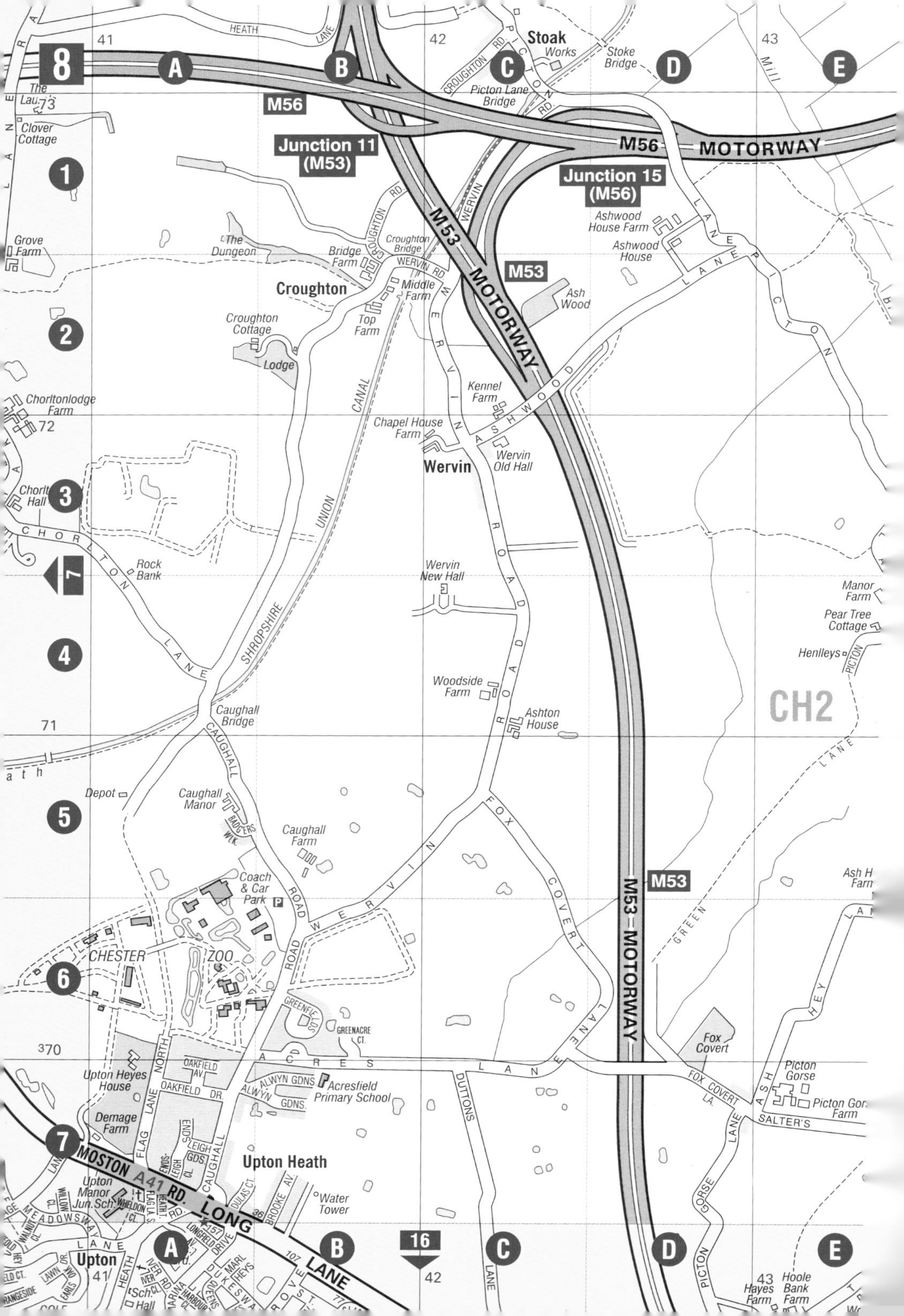

A
B
C
D
E
41
42
43
M56
Junction 11 (M53)
Junction 15 (M56)
M56 MOTORWAY
M53 MOTORWAY
M53
Stoak
Works
Stoke Bridge
Picton Lane Bridge
Heath Lane
Croughton Rd.
Picton Rd.
The Laurels
73
Clover Cottage
1
2
3
4
5
6
7
Grove Farm
The Dungeon
Bridge Farm
Croughton Bridge
Croughton
Middle Farm
Top Farm
Wervin Rd.
Ashwood House Farm
Ashwood House
Ash Wood
Ashwood Lane
Picton Lane
Croughton Cottage
Lodge
Chorltonlodge Farm
72
Chorlton Hall
Chorlton Lane
Kennel Farm
Chapel House Farm
Wervin
Wervin Old Hall
Wervin Road
Shropshire Union Canal
Rock Bank
7
Wervin New Hall
Manor Farm
Pear Tree Cottage
Henlleys
Woodside Farm
Ashton House
CH2
Caughall Bridge
71
Caughall Road
Depot
Caughall Manor
Badgers Wlk.
Caughall Farm
Fox Covert Lane
Coach & Car Park
P
Chester Zoo
Green Lane
Ash Hey Farm
Greenfields
Greenacre Ct.
Fox Covert
370
Acres Lane
Oakfield Av.
Oakfield Dr.
Alwyn Gdns.
Acresfield Primary School
Upton Heyes House
Demage Farm
Flag Lane North
Duttons Lane
Fox Covert La.
Picton Gorse
Picton Gorse Farm
Salter's
Ash Hey
Moston Rd.
A41
Long Lane
Upton Heath
Water Tower
Upton Manor Jun.Sch.
Meadowsway
Picton Gorse Lane
16
Upton
43
Hayes Farm
Hoole Bank Farm

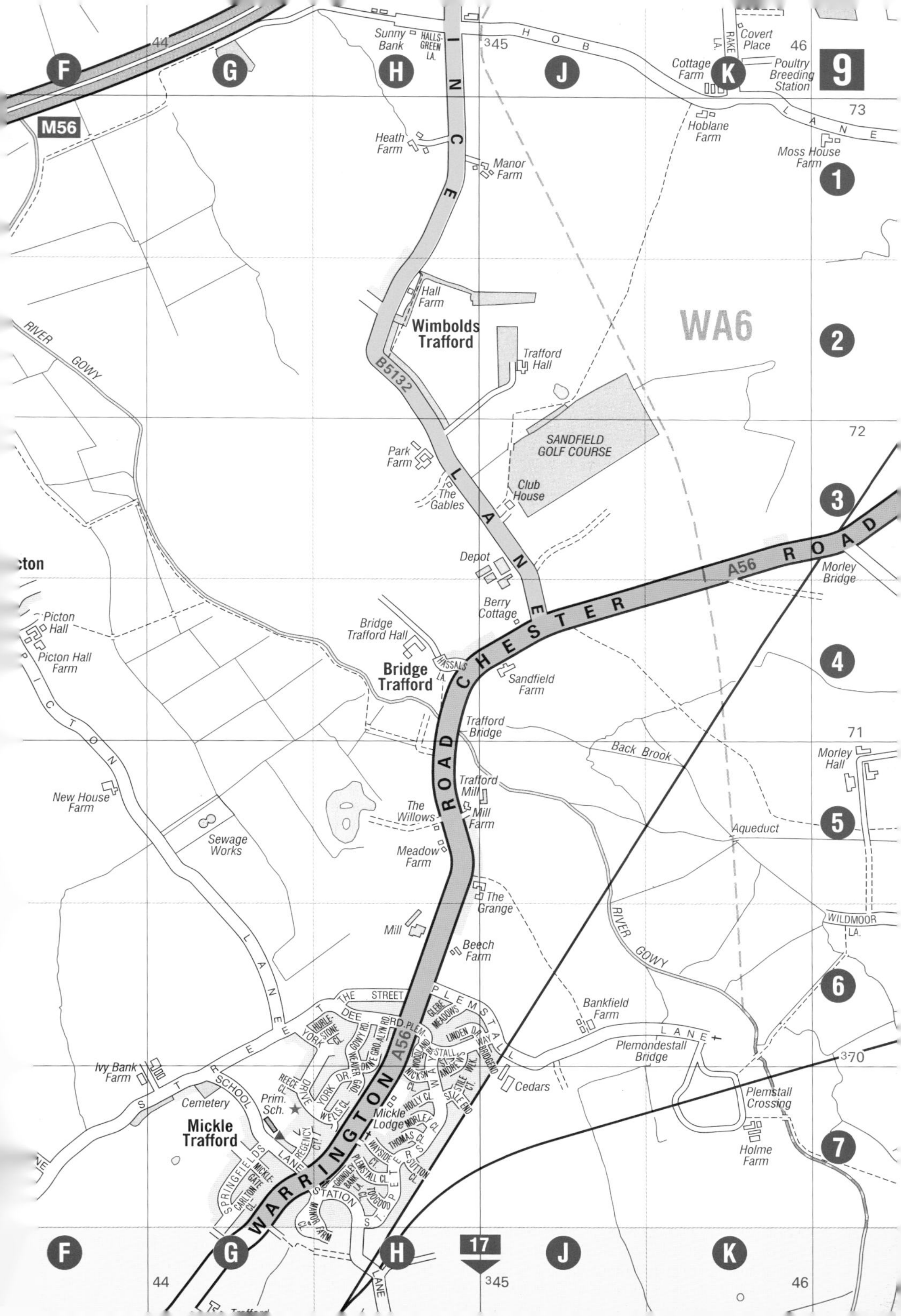
9
M56
F
G
H
J
K
44
345
46
73
72
71
370
1
2
3
4
5
6
7
Sunny Bank
HALLS-GREEN LA.
HOB LANE
INCE LANE
RAKE LA.
Covert Place
Cottage Farm
Poultry Breeding Station
Hoblane Farm
Moss House Farm
Heath Farm
Manor Farm
Hall Farm
Wimbolds Trafford
B5132
WA6
Trafford Hall
SANDFIELD GOLF COURSE
Club House
RIVER GOWY
Park Farm
The Gables
Depot
Berry Cottage
CHESTER ROAD
A56
Morley Bridge
Picton
Picton Hall
Picton Hall Farm
Bridge Trafford Hall
HASSALS LA.
Bridge Trafford
Sandfield Farm
Trafford Bridge
Back Brook
Morley Hall
PICTON LANE
New House Farm
Sewage Works
Trafford Mill
The Willows
Mill Farm
Meadow Farm
Aqueduct
The Grange
Mill
Beech Farm
WILDMOOR LA.
Bankfield Farm
THE STREET
PLEMSTALL LANE
Plemondestall Bridge
Ivy Bank Farm
STREET LANE
SCHOOL LANE
Cemetery
Prim. Sch.
Mickle Trafford
Mickle Lodge
Cedars
Plemstall Crossing
Holme Farm
WARRINGTON ROAD
STATION LANE
SPRINGFIELDS
ST. PETERS CL
17

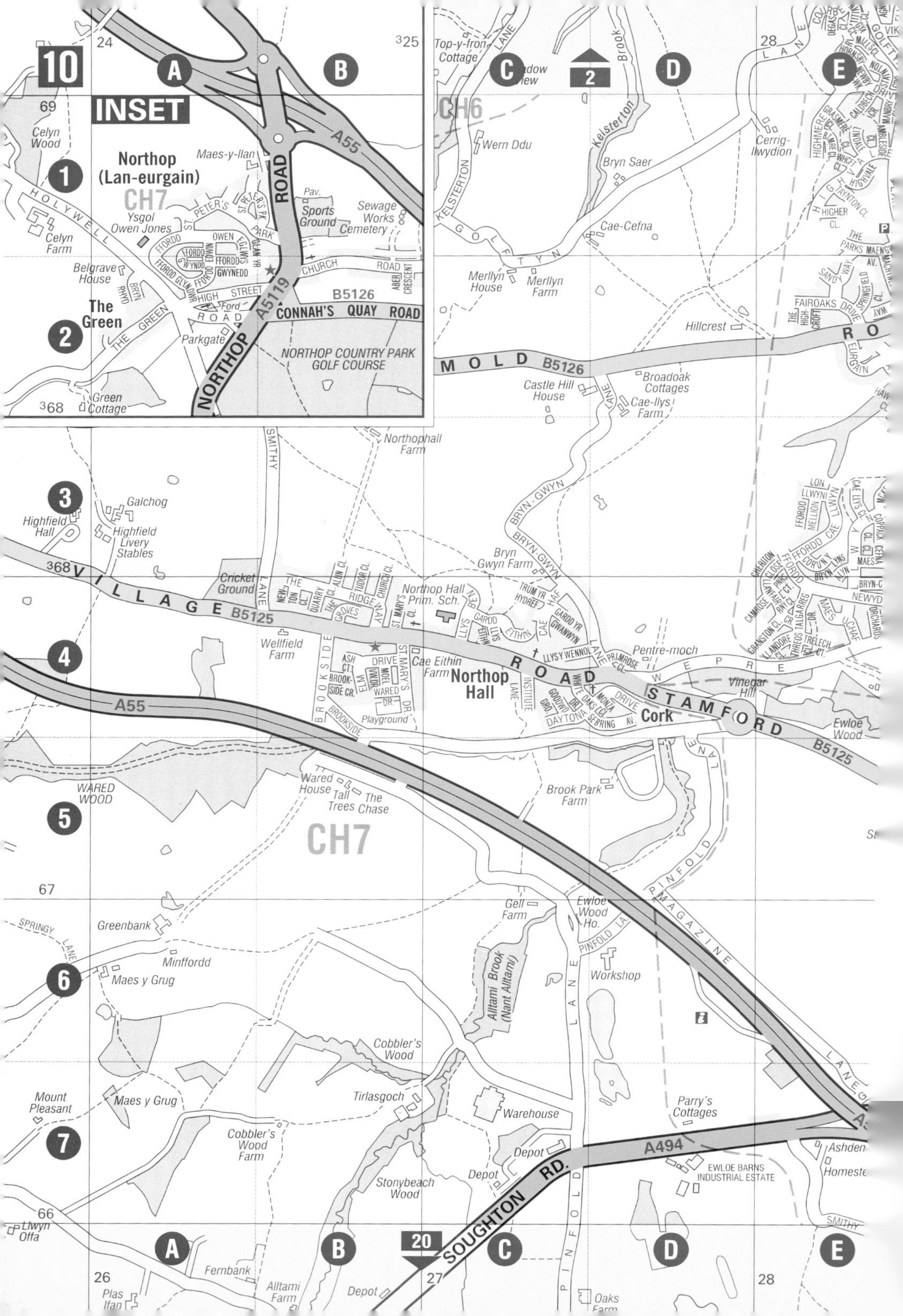
INSET
Northop
(Lan-eurgain)
CH7
Ysgol
Owen Jones
Celyn
Wood
Celyn
Farm
Maes-y-llan
Belgrave
House
The
Green
Parkgate
Green
Cottage
Sports
Ground
Sewage
Works
Cemetery
CHURCH ROAD
HIGH STREET
CONNAH'S QUAY ROAD
B5126
NORTHOP ROAD
A5119
A55
NORTHOP COUNTRY PARK
GOLF COURSE
HOLYWELL
THE GREEN
ST. PETER'S PARK
Top-y-fron
Cottage
CH6
Wern Du
Kelsterton
Brook
Bryn Saer
Cerrig-
llwydion
Cae-Cefna
Merllyn
House
Merllyn
Farm
Hillcrest
GOLFTYN LANE
MOLD B5126
Castle Hill
House
Broadoak
Cottages
Cae-llys
Farm
Northophall
Farm
Galchog
Highfield
Hall
Highfield
Livery
Stables
Cricket
Ground
SMITHY LANE
Bryn
Gwyn Farm
BRYN-GWYN
Northop Hall
Prim. Sch.
VILLAGE ROAD
B5125
Wellfield
Farm
Cae Eithin
Farm
Northop
Hall
Pentre-moch
Vinegar
Hill
Cork
STAMFORD
B5125
Ewloe
Wood
WEPRE
Playground
BROOKSIDE
A55
WARED
WOOD
Wared
House
Tall
Trees
The
Chase
Brook Park
Farm
CH7
Gell
Farm
Ewloe
Wood
Ho.
PINFOLD LANE
MAGAZINE LANE
Greenbank
SPRINGY LANE
Minffordd
Maes y Grug
Workshop
Alltami Brook
(Nant Alltami)
Cobbler's
Wood
Tirlasgoch
Warehouse
Mount
Pleasant
Maes y Grug
Cobbler's
Wood
Farm
Parry's
Cottages
Depot
Depot
A494
EWLOE BARNS
INDUSTRIAL ESTATE
Ashden
Homeste
Stonybeach
Wood
SOUGHTON RD.
Llwyn
Offa
Fernbank
Alltami
Farm
Depot
Plas
Ifan
Oaks
Farm
SMITHY
2
20

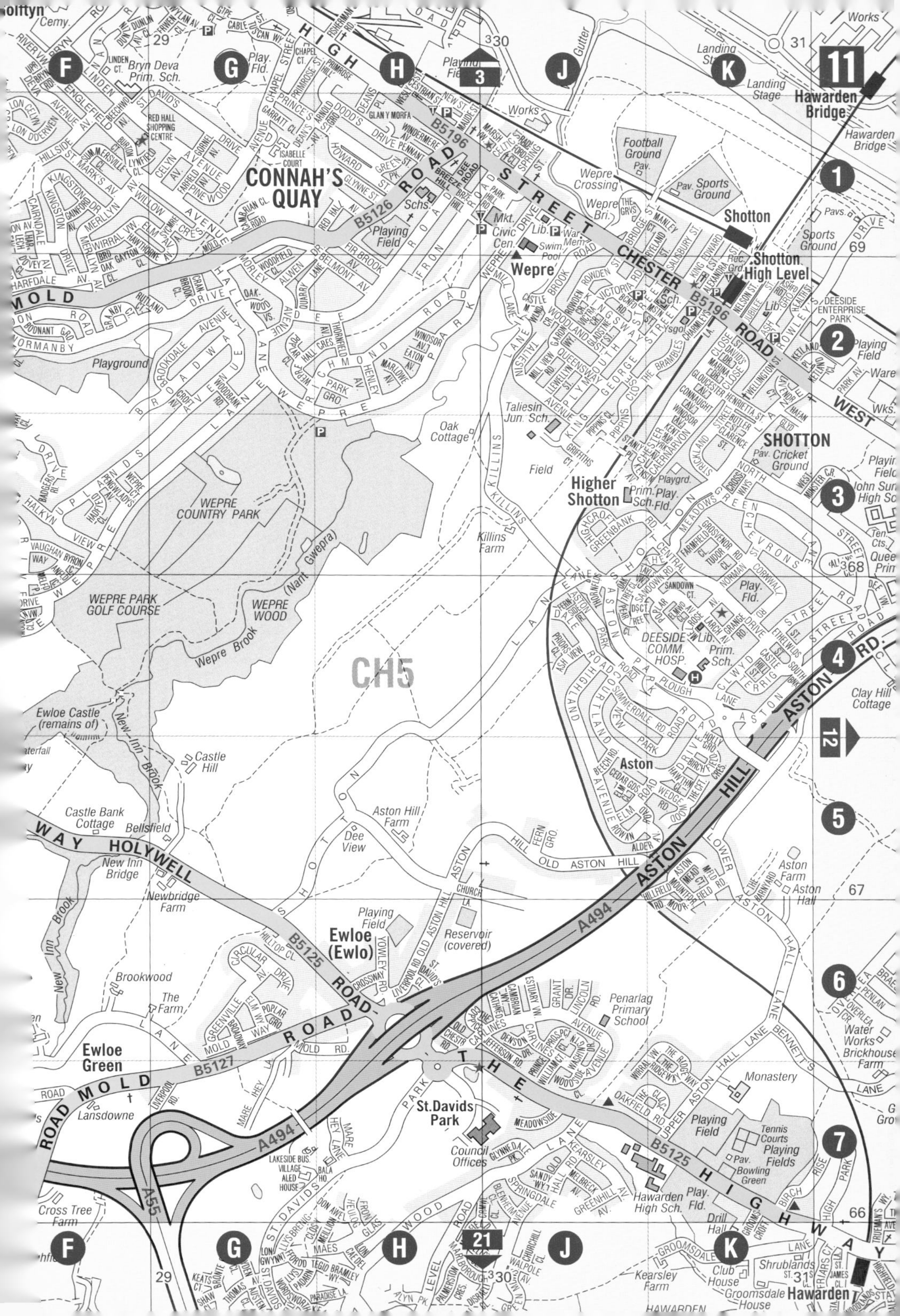

11
CONNAH'S QUAY
Wepre
Higher Shotton
SHOTTON
Shotton
Shotton High Level
Hawarden Bridge
Aston
Ewloe (Ewlo)
Ewloe Green
Hawarden
CH5
WEPRE COUNTRY PARK
WEPRE PARK GOLF COURSE
WEPRE WOOD
Wepre Brook
Ewloe Castle (remains of)
New Inn Brook
Castle Hill
Castle Bank Cottage
Bellsfield
New Inn Bridge
Newbridge Farm
Brookwood
The Farm
Lansdowne
Cross Tree Farm
Killins Farm
Oak Cottage
Aston Hill Farm
Dee View
Reservoir (covered)
St.Davids Park
Council Offices
Penarlag Primary School
Hawarden High Sch.
Monastery
Tennis Courts
Playing Fields
Bowling Green
Kearsley Farm
Club House
Groomsdale House
Shrublands
Aston Farm
Aston Hall
Clay Hill Cottage
Brickhouse Farm
Water Works
DEESIDE COMM. HOSP.
DEESIDE ENTERPRISE PARK
Football Ground
Sports Ground
Landing Stage
Wepre Crossing
Taliesin Jun. Sch.
Bryn Deva Prim. Sch.
RED HALL SHOPPING CENTRE
HIGH STREET
CHESTER ROAD
B5196
B5126
B5125
B5127
A494
A55
ASTON HILL
ASTON RD.
HOLYWELL WAY
MOLD ROAD
THE HIGHWAY
WEPRE LANE
KILLINS LANE
HOTTON LANE
ASTON PARK ROAD
OLD ASTON HILL
LOWER ASTON HALL LANE
UPPER ASTON HALL LANE
3
12
21
F G H J K
1 2 3 4 5 6 7
29 30 31
66 67 68 69

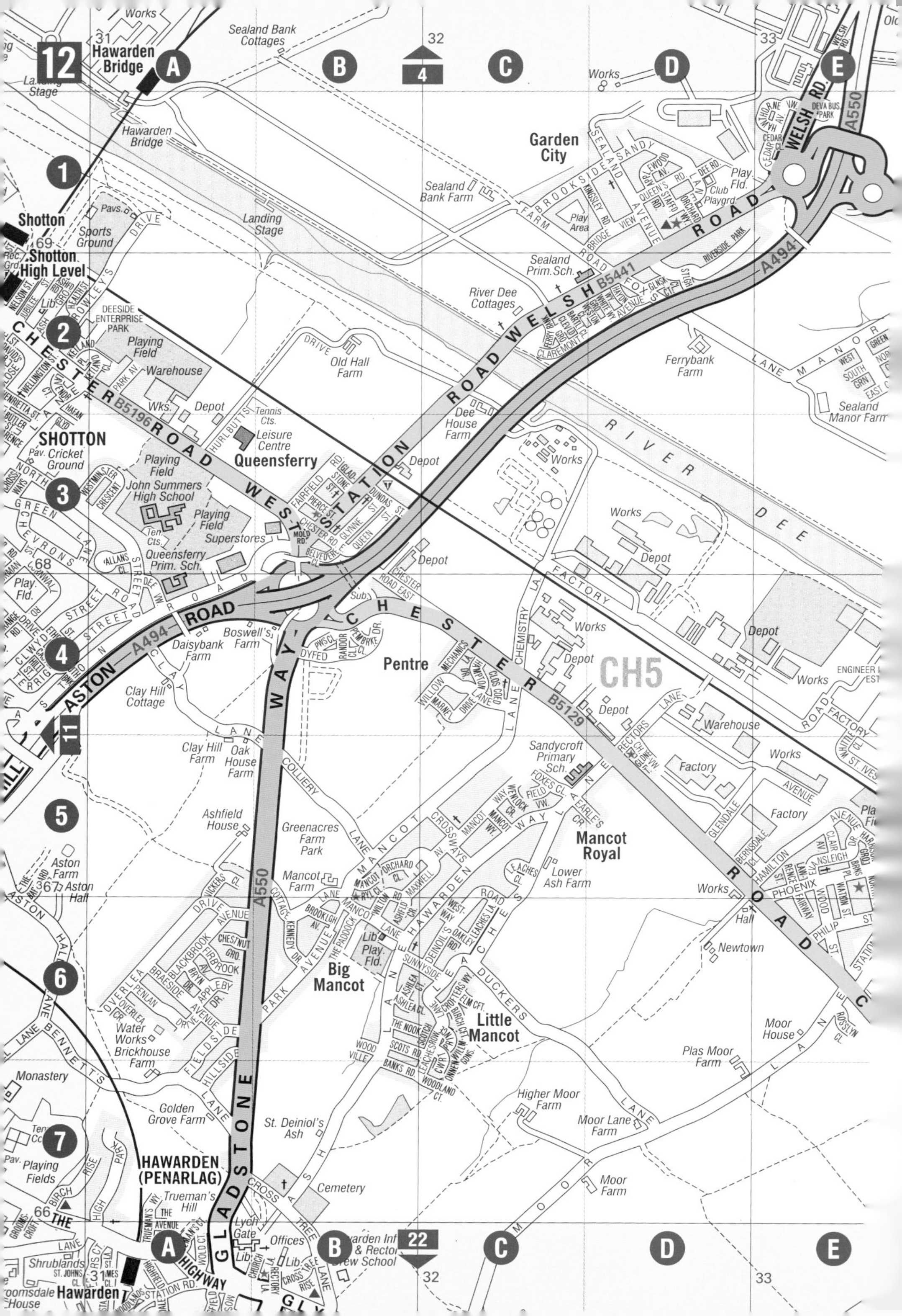

Hawarden Bridge
Sealand Bank Cottages
Works
Landing Stage
Garden City
Sealand Bank Farm
Landing Stage
Shotton
Sports Ground
Shotton High Level
Sealand Prim. Sch.
River Dee Cottages
DEESIDE ENTERPRISE PARK
Playing Field
Warehouse
Old Hall Farm
Ferrybank Farm
Sealand Manor Farm
Wks.
Depot
Tennis Cts.
Leisure Centre
Dee House Farm
SHOTTON
Cricket Ground
Queensferry
Depot
Works
RIVER DEE
John Summers High School
Playing Field
Superstores
Queensferry Prim. Sch.
Depot
Depot
Boswell's Farm
Daisybank Farm
Pentre
Works
Depot
CH5
Clay Hill Cottage
Depot
Warehouse
Works
Clay Hill Farm
Oak House Farm
Sandycroft Primary Sch.
Factory
Works
Ashfield House
Greenacres Farm Park
Mancot Royal
Factory
Aston Farm
Aston Hall
Mancot Farm
Lower Ash Farm
Works
Newtown
Big Mancot
Water Works
Brickhouse Farm
Little Mancot
Moor House
Plas Moor Farm
Monastery
Golden Grove Farm
Higher Moor Farm
St. Deiniol's Ash
Moor Lane Farm
Playing Fields
HAWARDEN (PENARLAG)
Cemetery
Moor Farm
Trueman's Hill
Offices
Hawarden Inf. & Rector Drew School
Shrublands
Hawarden
Broomsdale House
A550
A494
B5441
B5129
B5196
WELSH ROAD
CHESTER ROAD WEST
STATION ROAD
ASTON ROAD
CHESTER ROAD
GLADSTONE WAY
MOOR LANE
FACTORY ROAD
MANCOT LANE
HAWARDEN WAY

4
11
22

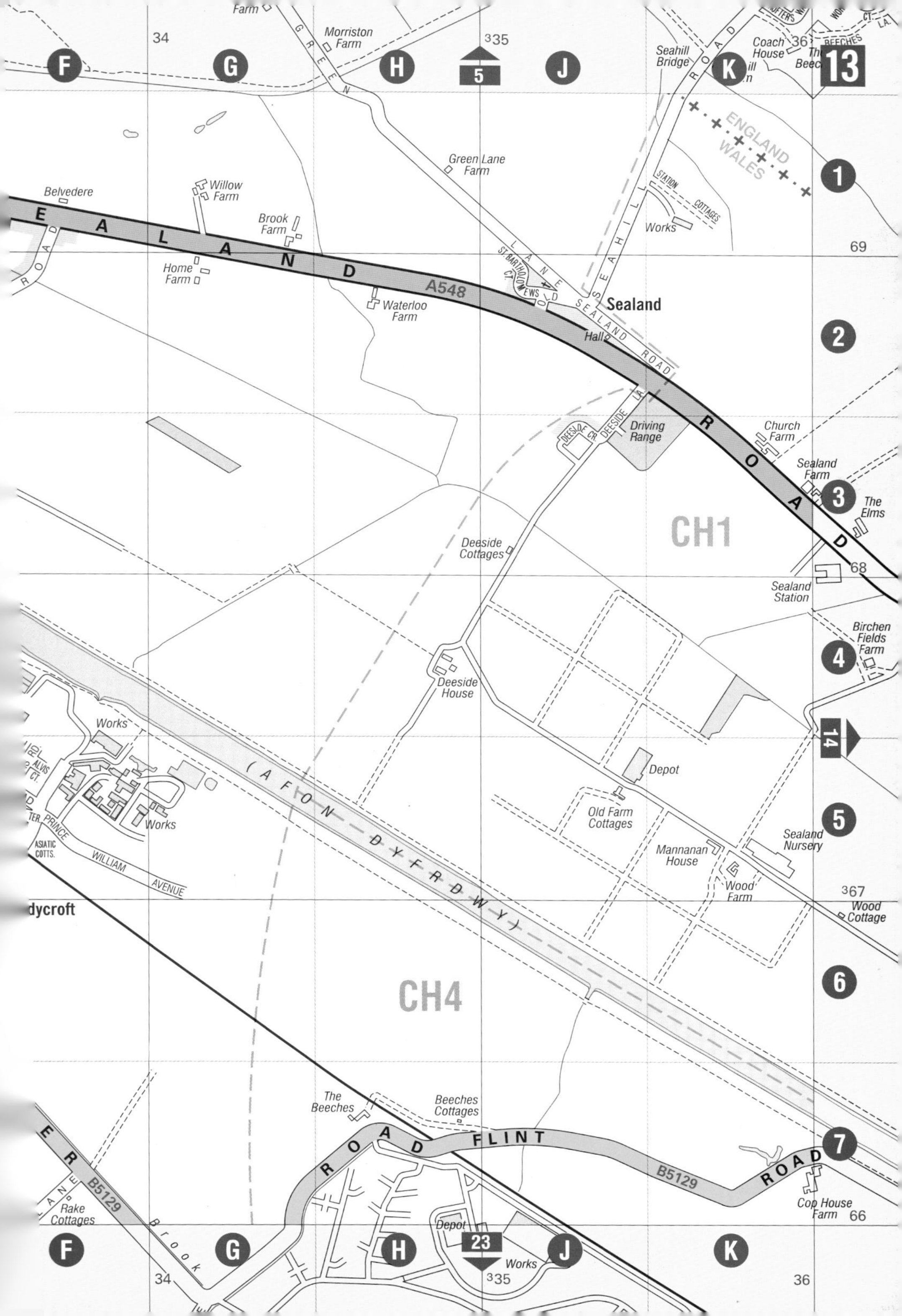
13
F
G
H
J
K
34
335
5
36
Farm
Morriston Farm
GREEN
Seahill Bridge
Coach House
The Beeches
ENGLAND
WALES
1
2
3
4
5
6
7
69
68
367
66
Green Lane Farm
Willow Farm
Belvedere
Brook Farm
Home Farm
Waterloo Farm
SEALAND ROAD
A548
LANE
SEAHILL ROAD
STATION COTTAGES
Works
Sealand
Hall
ST. BARTHOLOMEWS CT.
OLD
SEALAND ROAD
DEESIDE CT.
DEESIDE LA.
Driving Range
Church Farm
Sealand Farm
The Elms
CH1
Deeside Cottages
Sealand Station
Birchen Fields Farm
14
Deeside House
Depot
Old Farm Cottages
Mannanan House
Sealand Nursery
Wood Farm
Wood Cottage
(AFON DYFRDWY)
Works
PRINCE WILLIAM AVENUE
ASIATIC COTTS.
dycroft
CH4
The Beeches
Beeches Cottages
FLINT ROAD
B5129
Cop House Farm
B5129
LANE
Rake Cottages
Brook
Depot
23
Works

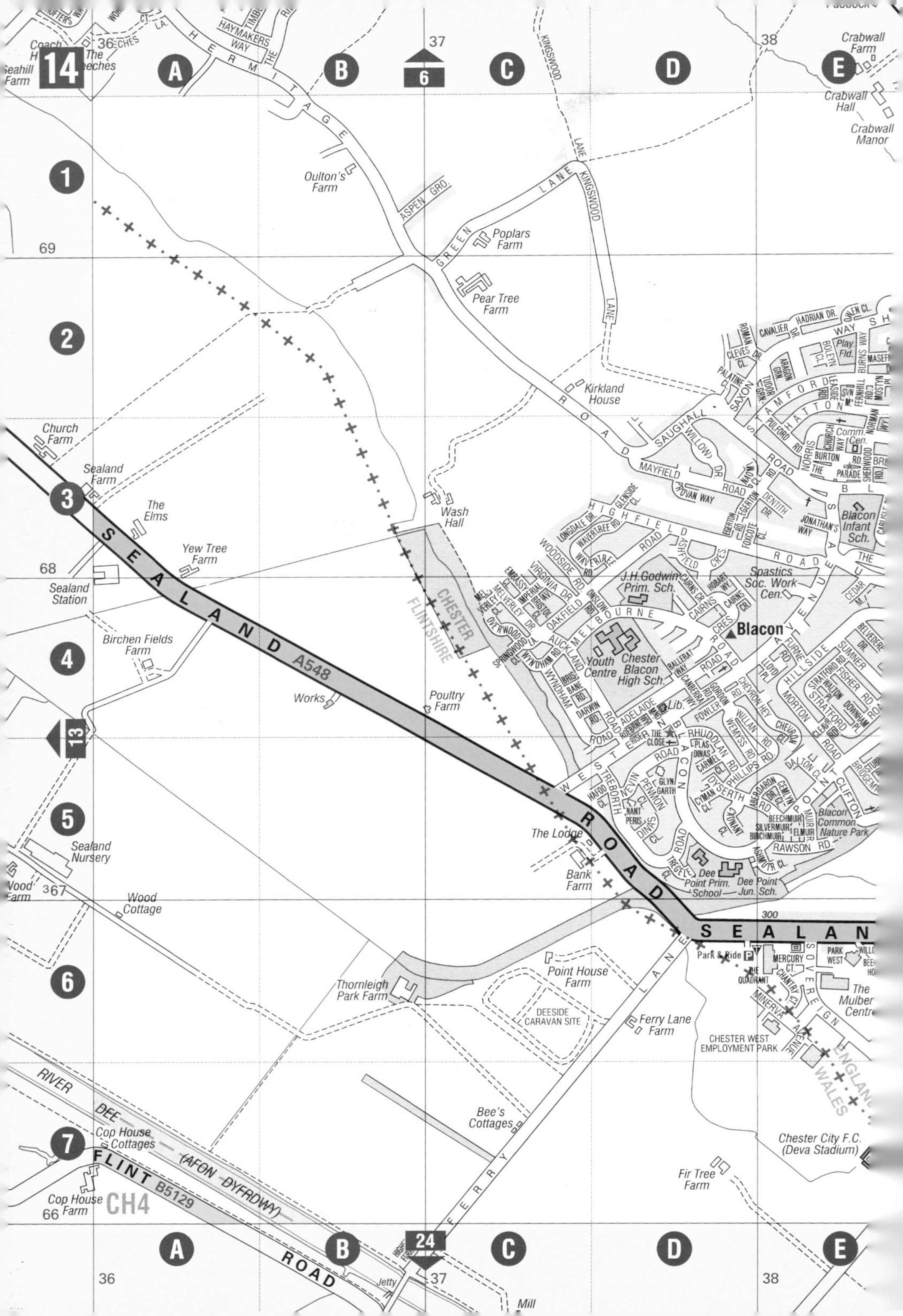

HERMITAGE
HAYMAKERS WAY
Coach House
The Beeches
Seahill Farm
Oulton's Farm
ASPEN GRO.
GREEN LANE
KINGSWOOD LANE
Poplars Farm
Pear Tree Farm
Crabwall Farm
Crabwall Hall
Crabwall Manor
Kirkland House
SAUGHALL ROAD
Church Farm
Sealand Farm
The Elms
Yew Tree Farm
Sealand Station
Wash Hall
CHESTER
FLINTSHIRE
Birchen Fields Farm
SEALAND ROAD A548
Works
Poultry Farm
Blacon
J.H.Godwin Prim. Sch.
Spastics Soc. Work Cen.
Blacon Infant Sch.
Youth Centre
Chester Blacon High Sch.
Lib.
Blacon Common Nature Park
Dee Point Prim. School
Dee Point Jun. Sch.
The Lodge
Bank Farm
Sealand Nursery
Wood Farm
Wood Cottage
Thornleigh Park Farm
Point House Farm
DEESIDE CARAVAN SITE
Ferry Lane Farm
FERRY LANE
Park & Ride
MERCURY CT.
PARK WEST
The Mulberry Centre
CHESTER WEST EMPLOYMENT PARK
ENGLAND
WALES
Chester City F.C. (Deva Stadium)
Fir Tree Farm
Bee's Cottages
RIVER DEE (AFON DYFRDWY)
Cop House Cottages
Cop House Farm
FLINT ROAD B5129
CH4
Jetty
Mill
A B C D E
1 2 3 4 5 6 7
36 37 38
69 68 367 66
6 13 24

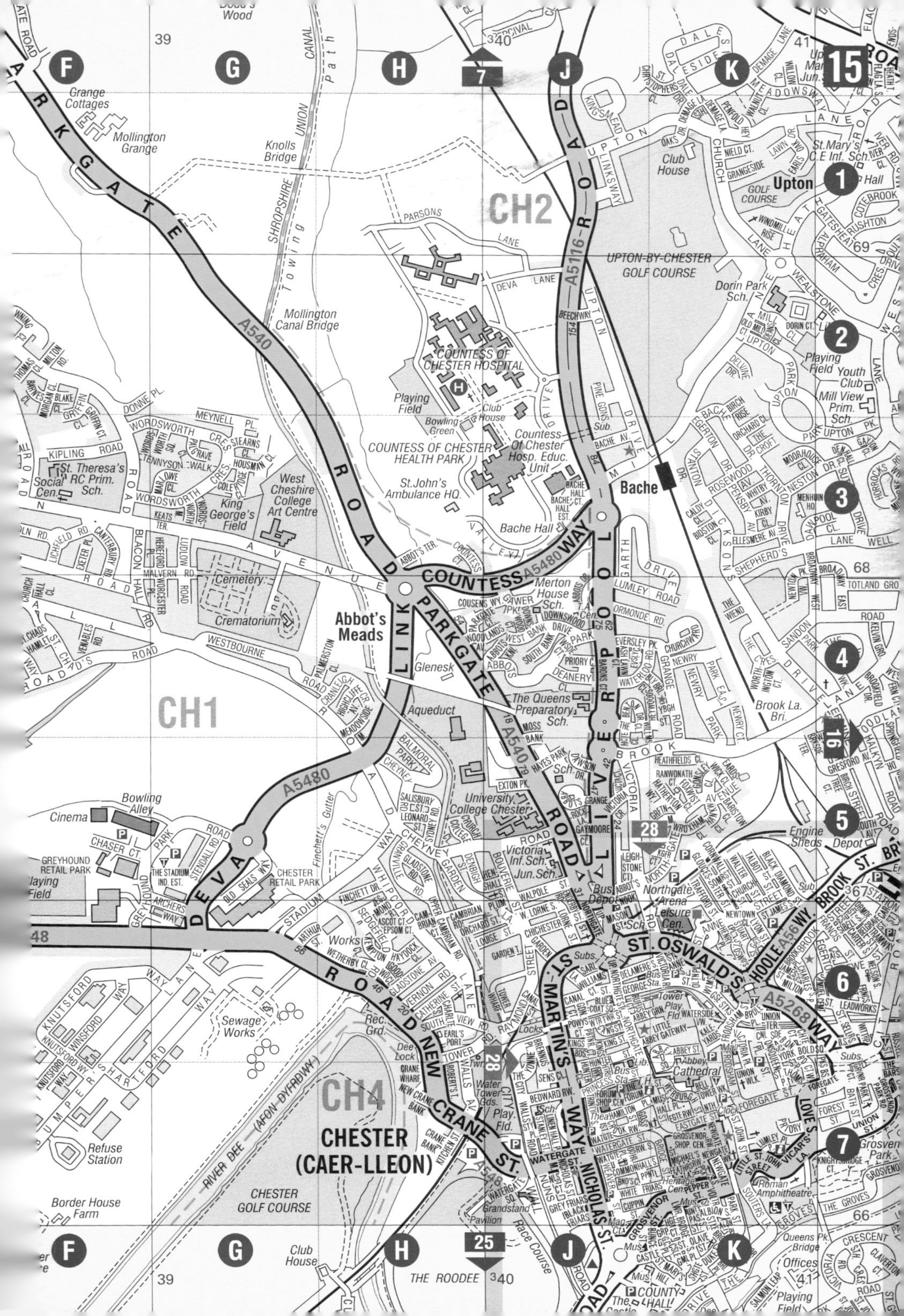
F
G
H
J
K
7
39
340
41
1
2
3
4
5
6
7
69
68
67
66
Grange Cottages
Mollington Grange
Knolls Bridge
SHROPSHIRE UNION CANAL
Towing Path
PARKGATE
A540
ROAD
CH2
Upton
Club House
GOLF COURSE
UPTON-BY-CHESTER GOLF COURSE
Dorin Park Sch.
St.Mary's C.E Inf. Sch.
Playing Field
Youth Club
Mill View Prim. Sch.
A5116
LIVERPOOL ROAD
UPTON LANE
DEVA LANE
PARSONS LANE
Mollington Canal Bridge
COUNTESS OF CHESTER HOSPITAL
Playing Field
Bowling Green
Club House
COUNTESS OF CHESTER HEALTH PARK
Countess Of Chester Hosp. Educ. Unit
St.John's Ambulance HQ.
Bache Hall
Bache
St. Theresa's RC Prim. Sch.
Social Cen.
King George's Field
West Cheshire College Art Centre
KIPLING ROAD
WORDSWORTH CRES.
BLACON HALL ROAD
BLACON AVENUE
Cemetery
Crematorium
Abbot's Meads
COUNTESS WAY
A5480
LINK
PARKGATE ROAD
Merton House Sch.
Glenesk
The Queens Preparatory Sch.
Aqueduct
CH1
WESTBOURNE ROAD
ST. CHAD'S ROAD
Brook La. Bri.
16
28
A5480
Bowling Alley
Cinema
GREYHOUND RETAIL PARK
Playing Field
THE STADIUM IND. EST.
CHESTER RETAIL PARK
DEVA
University College Chester
Victoria Inf.Sch. Jun.Sch.
Bus Depot
Northgate Arena Leisure Cen.
Engine Sheds
Depot
ST. OSWALD'S WAY
HOOLE WAY
A56
A5268
BROOK ST.
48
ROAD
NEW CRANE ST.
Works
Sewage Works
Rec. Grd.
Dee Lock
Locks
ST. MARTIN'S WAY
NICHOLAS ST.
Water Tower Gds.
City Play. Fld.
Cathedral
Abbey
Tower Play Fld.
Heritage Cen.
GROSVENOR SHOP. CEN.
FORUM SHOP. CEN.
Roman Amphitheatre
Grosvenor Park
Queens Pk. Bridge
Offices
Playing Field
COUNTY HALL
CH4
CHESTER (CAER-LLEON)
RIVER DEE (AFON DYFRDWY)
Refuse Station
Border House Farm
CHESTER GOLF COURSE
Grandstand Pavilion
Race Course
THE ROODEE
Club House
25
A548
KNUTSFORD WAY
WINSFORD WAY
HARTFORD WAY
SEALAND ROAD
LOVE ST.
FOREGATE ST.
UNION ST.
THE GROVES

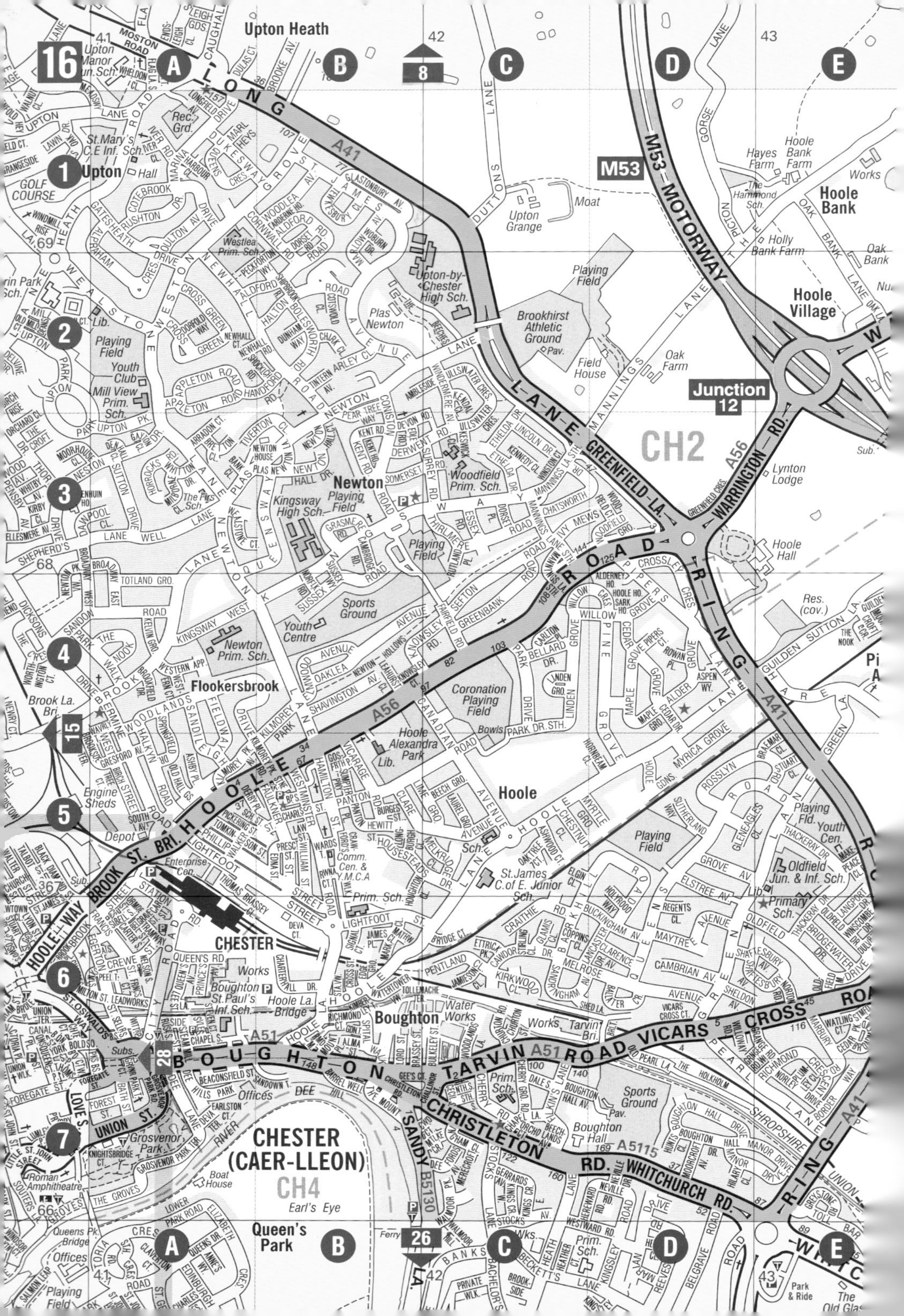

Upton Heath
Upton
Newton
Flookersbrook
Hoole
Hoole Bank
Hoole Village
Boughton
CHESTER
CHESTER (CAER-LLEON)
CH2
CH4
Junction 12
M53 MOTORWAY
LONG LANE
GREENFIELD LA.
HOOLE ROAD
RING ROAD
BROOK ST. BRI.
HOOLE WAY
BOUGHTON
TARVIN ROAD
VICARS CROSS ROAD
CHRISTLETON RD.
WHITCHURCH RD.
WARRINGTON RD.
Upton-by-Chester High Sch.
Kingsway High Sch.
Brookhirst Athletic Ground
Coronation Playing Field
Hoole Alexandra Park
Newton Prim. Sch.
Sports Ground
Queen's Park
Earl's Eye
Roman Amphitheatre
Grosvenor Park
Upton Grange
Hoole Hall
Boughton Hall
Oldfield Jun. & Inf. Sch.
St.James C.of E. Junior Sch.
Woodfield Prim. Sch.
Westlea Prim. Sch.
Mill View Prim. Sch.
Engine Sheds
Enterprise Cen.

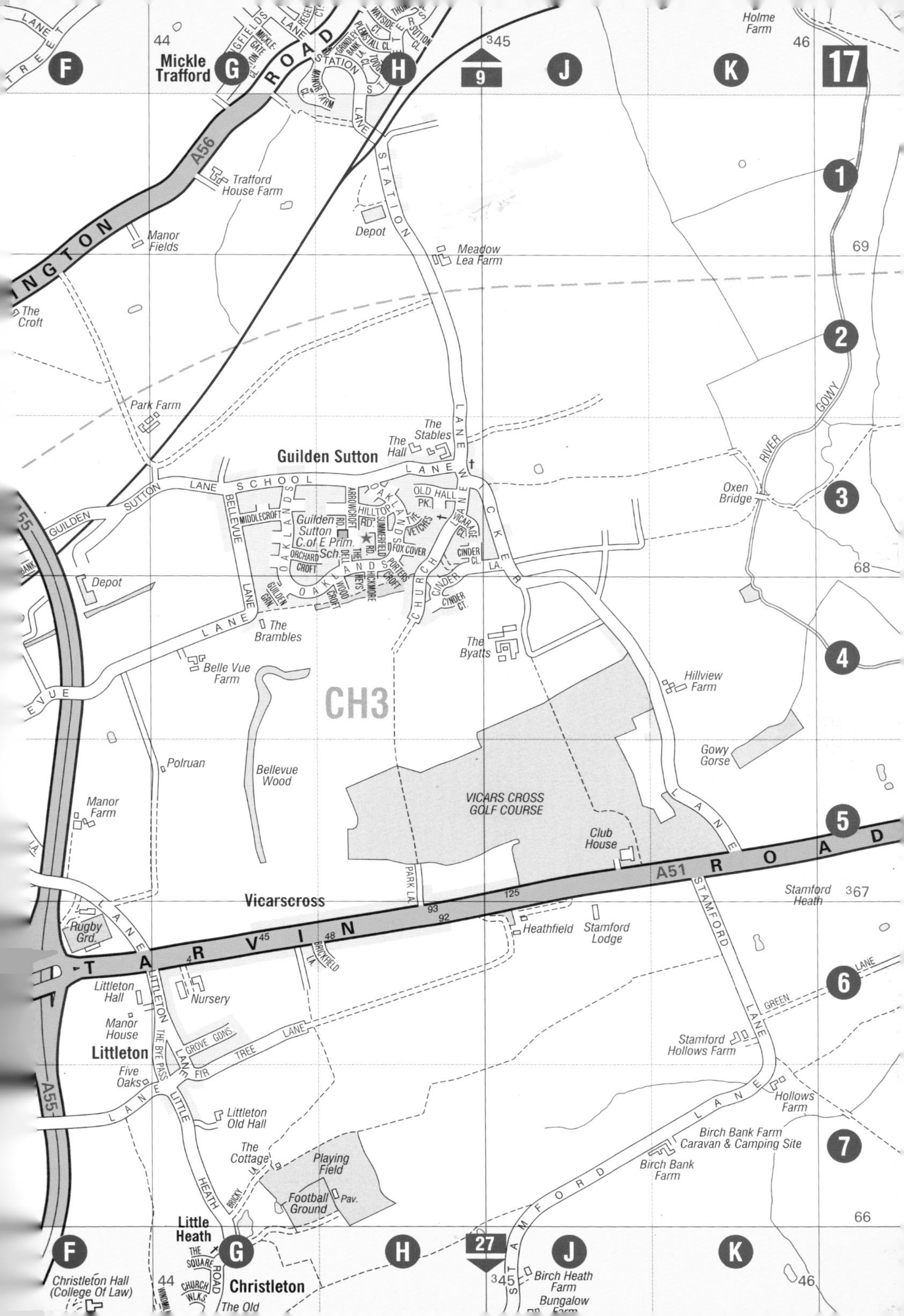

17
Mickle Trafford
Guilden Sutton
Vicarscross
Littleton
Little Heath
Christleton
CH3
Trafford House Farm
Manor Fields
The Croft
Park Farm
Depot
Meadow Lea Farm
Holme Farm
The Stables
The Hall
Guilden Sutton C.of E Prim. Sch.
Oxen Bridge
River Gowy
The Brambles
Belle Vue Farm
The Byatts
Hillview Farm
Gowy Gorse
Polruan
Bellevue Wood
Manor Farm
VICARS CROSS GOLF COURSE
Club House
Rugby Grd.
Heathfield
Stamford Lodge
Stamford Heath
Littleton Hall
Nursery
Manor House
Stamford Hollows Farm
Five Oaks
Littleton Old Hall
Hollows Farm
Birch Bank Farm Caravan & Camping Site
Birch Bank Farm
The Cottage
Playing Field
Football Ground
Pav.
Christleton Hall (College Of Law)
Birch Heath Farm
Bungalow
The Old
A56
A55
A51
TARVIN ROAD
STATION LANE
SCHOOL LANE
GUILDEN SUTTON LANE
BELLEVUE LANE
WICKER LANE
CHURCH LANE
CINDER LA.
STAMFORD LANE
GREEN LANE
PARK LA.
BRICKFIELD LA.
LITTLETON LANE
FIR TREE LANE
GROVE GDNS.
THE BYE PASS
LITTLE HEATH ROAD
BRICKY LA.
THE SQUARE
CHURCH WLKS.
MIDDLECROFT
OAKLANDS
ARROWCROFT
HILLTOP RD.
SUMMERFIELD RD.
THE VETCHES
OLD HALL PK.
VICARAGE CL.
CINDER CL.
CINDER CT.
FOX COVER
PORTERS CROFT
HICKMORE HEYS
THE DELL
WOOD CROFT
ORCHARD CROFT
GUILDEN GRN.
9
27

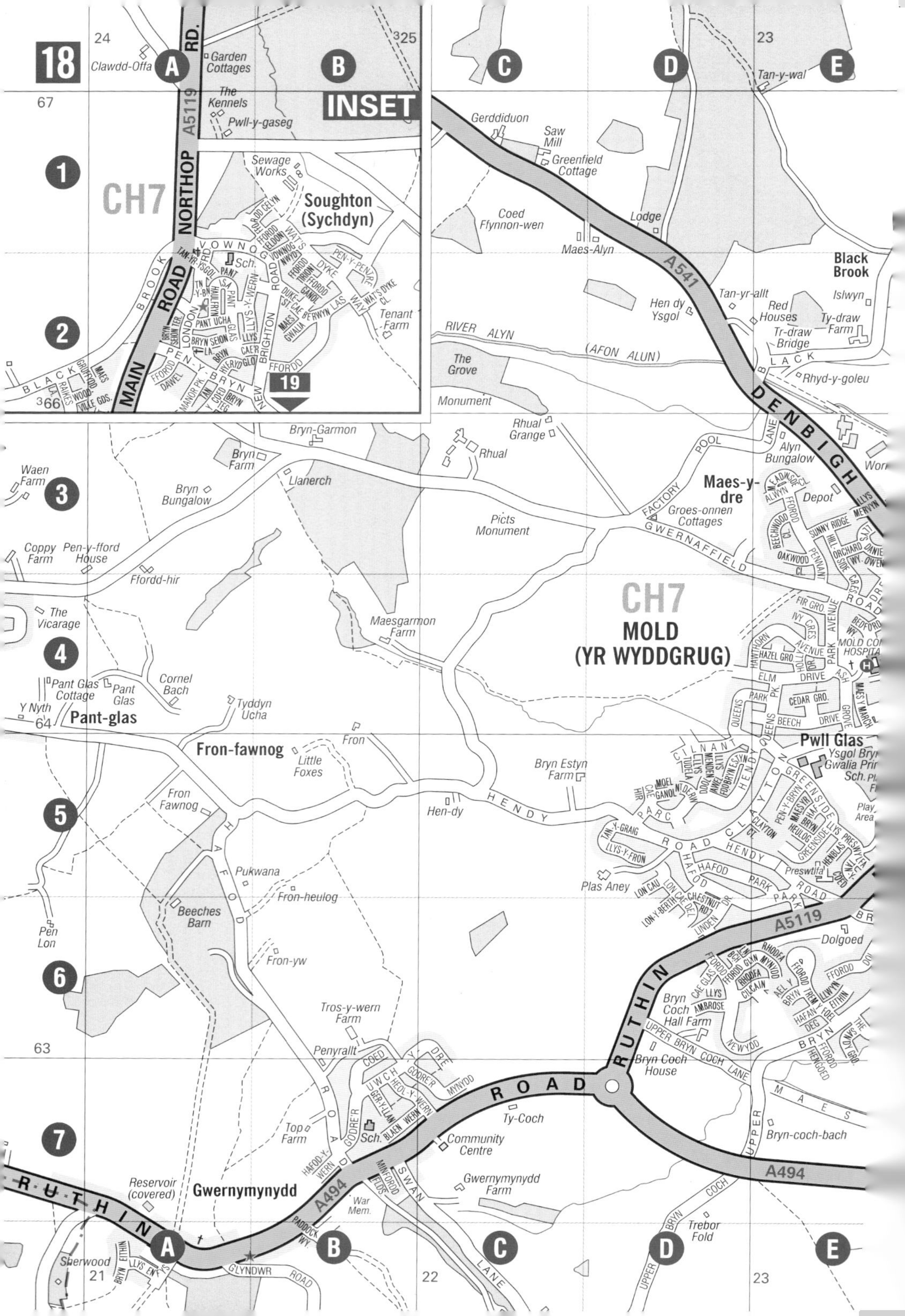
INSET
Soughton (Sychdyn)
CH7
Clawdd-Offa
Garden Cottages
The Kennels
Pwll-y-gaseg
Sewage Works
NORTHOP ROAD
MAIN ROAD
A5119
Tenant Farm
Gerddiduon
Saw Mill
Greenfield Cottage
Coed Ffynnon-wen
Maes-Alyn
Lodge
A541
Tan-y-wal
Black Brook
Islwyn
Tan-yr-allt
Hen dy Ysgol
Red Houses
Ty-draw Farm
Tr-draw Bridge
Rhyd-y-goleu
RIVER ALYN
(AFON ALUN)
The Grove
Monument
DENBIGH
Bryn-Garmon
Rhual Grange
Rhual
Bryn Farm
Waen Farm
Llanerch
Bryn Bungalow
Alyn Bungalow
Maes-y-dre
Depot
Groes-onnen Cottages
Picts Monument
FACTORY POOL LANE
GWERNAFFIELD ROAD
Coppy Farm
Pen-y-ffordd House
Ffordd-hir
The Vicarage
CH7
MOLD (YR WYDDGRUG)
Maesgarmon Farm
Pant Glas Cottage
Pant Glas
Cornel Bach
Y Nyth
Pant-glas
Tyddyn Ucha
Fron-fawnog
Fron
Little Foxes
Bryn Estyn Farm
Pwll Glas
Fron Fawnog
Hen-dy
HENDY ROAD
Pukwana
Fron-heulog
Plas Aney
Beeches Barn
Pen Lon
A5119
Dolgoed
Fron-yw
Bryn Coch Hall Farm
Tros-y-wern Farm
Penyrallt
Bryn Coch House
UPPER BRYN COCH LANE
Ty-Coch
Top Farm
Sch.
Community Centre
Bryn-coch-bach
RUTHIN ROAD
A494
Reservoir (covered)
Gwernymynydd
Gwernymynydd Farm
War Mem.
Trebor Fold
Sherwood
GLYNDWR ROAD
SWAN LANE
19

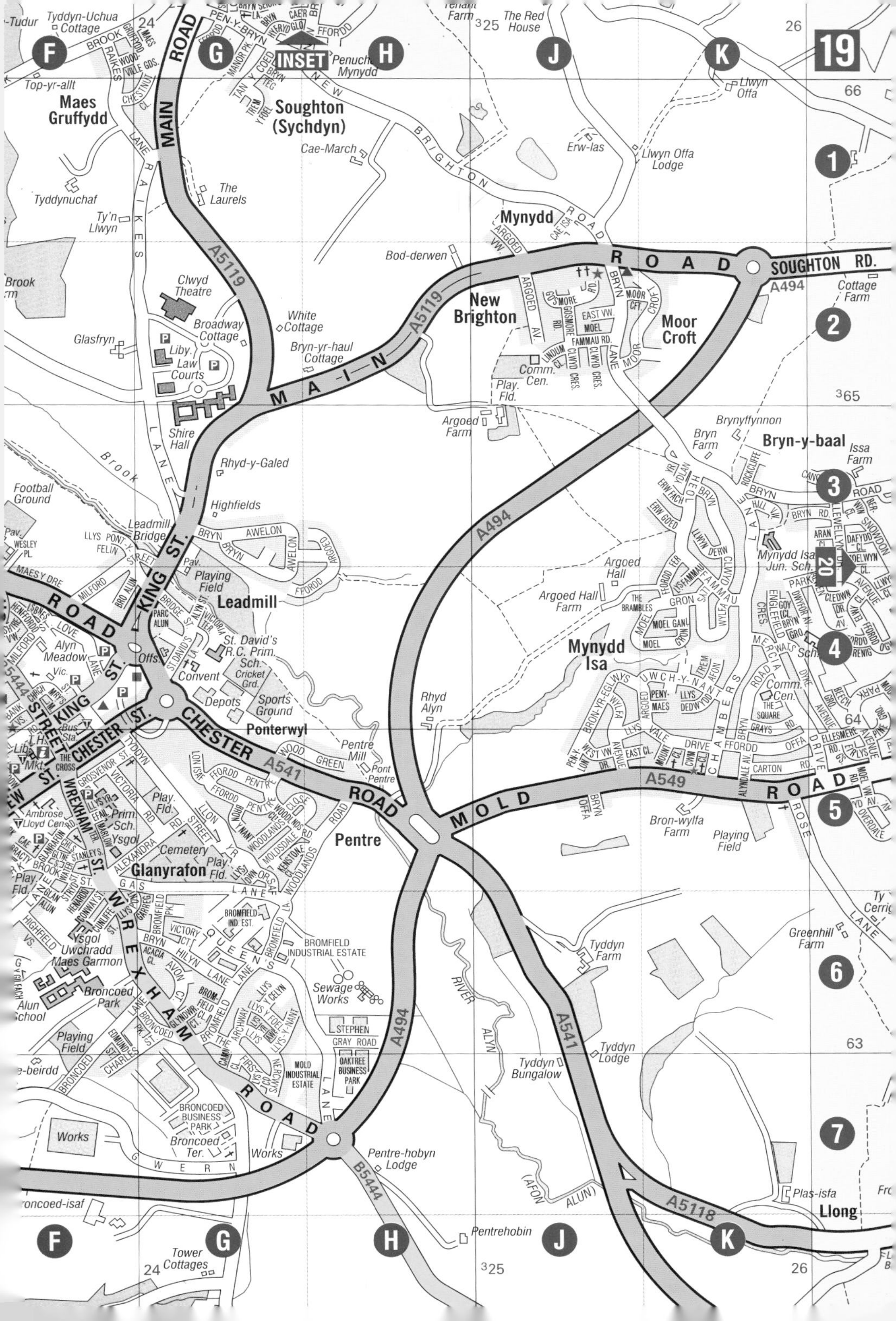
19
INSET
F
G
H
J
K
1
2
3
4
5
6
7
24
325
26
66
365
64
63
Tyddyn-Uchua Cottage
Top-yr-allt
Maes Gruffydd
Soughton (Sychdyn)
Penuch Mynydd
The Red House
Llwyn Offa
Cae-March
Erw-las
Llwyn Offa Lodge
The Laurels
Tyddynuchaf
Ty'n Llwyn
MAIN ROAD
BRIGHTON
Mynydd
Bod-derwen
SOUGHTON RD.
A494
Cottage Farm
Brook Farm
Clwyd Theatre
A5119
White Cottage
New Brighton
Moor Croft
Broadway Cottage
Glasfryn
Liby.
Law Courts
Bryn-yr-haul Cottage
Comm. Cen.
Play. Fld.
Argoed Farm
Shire Hall
Brynyffynnon
Bryn Farm
Bryn-y-baal
Issa Farm
Rhyd-y-Galed
Brook
Football Ground
Highfields
Leadmill Bridge
KING ST.
BRYN AWELON
Playing Field
Leadmill
Argoed Hall
Argoed Hall Farm
Mynydd Isa Jun. Sch.
20
Mynydd Isa
St. David's R.C. Prim. Sch.
Convent
Cricket Grd.
Depots
Sports Ground
Offs.
Alyn Meadow
Rhyd Alyn
Ponterwyl
Pentre Mill
Pont Pentre
CHESTER ROAD
A541
MOLD ROAD
A549
Comm. Cen.
THE SQUARE
Ambrose Lloyd Cen.
Prim. Sch.
Ysgol
Play. Fld.
Cemetery
Pentre
Bron-wylfa Farm
Playing Field
Glanyrafon
WREXHAM ST.
Ty Cerrig
Greenhill Farm
BROMFIELD IND. EST.
BROMFIELD INDUSTRIAL ESTATE
Tyddyn Farm
Ysgol Uwchradd Maes Garmon
Broncoed Park
Alun School
Sewage Works
RIVER ALYN
Playing Field
STEPHEN GRAY ROAD
OAKTREE BUSINESS PARK
MOLD INDUSTRIAL ESTATE
Tyddyn Lodge
Tyddyn Bungalow
WREXHAM ROAD
BRONCOED BUSINESS PARK
Works
Broncoed Ter.
Works
Pentre-hobyn Lodge
GWERN
B5444
(AFON ALUN)
A5118
Plas-isfa
Llong
Broncoed-isaf
Pentrehobin
Tower Cottages

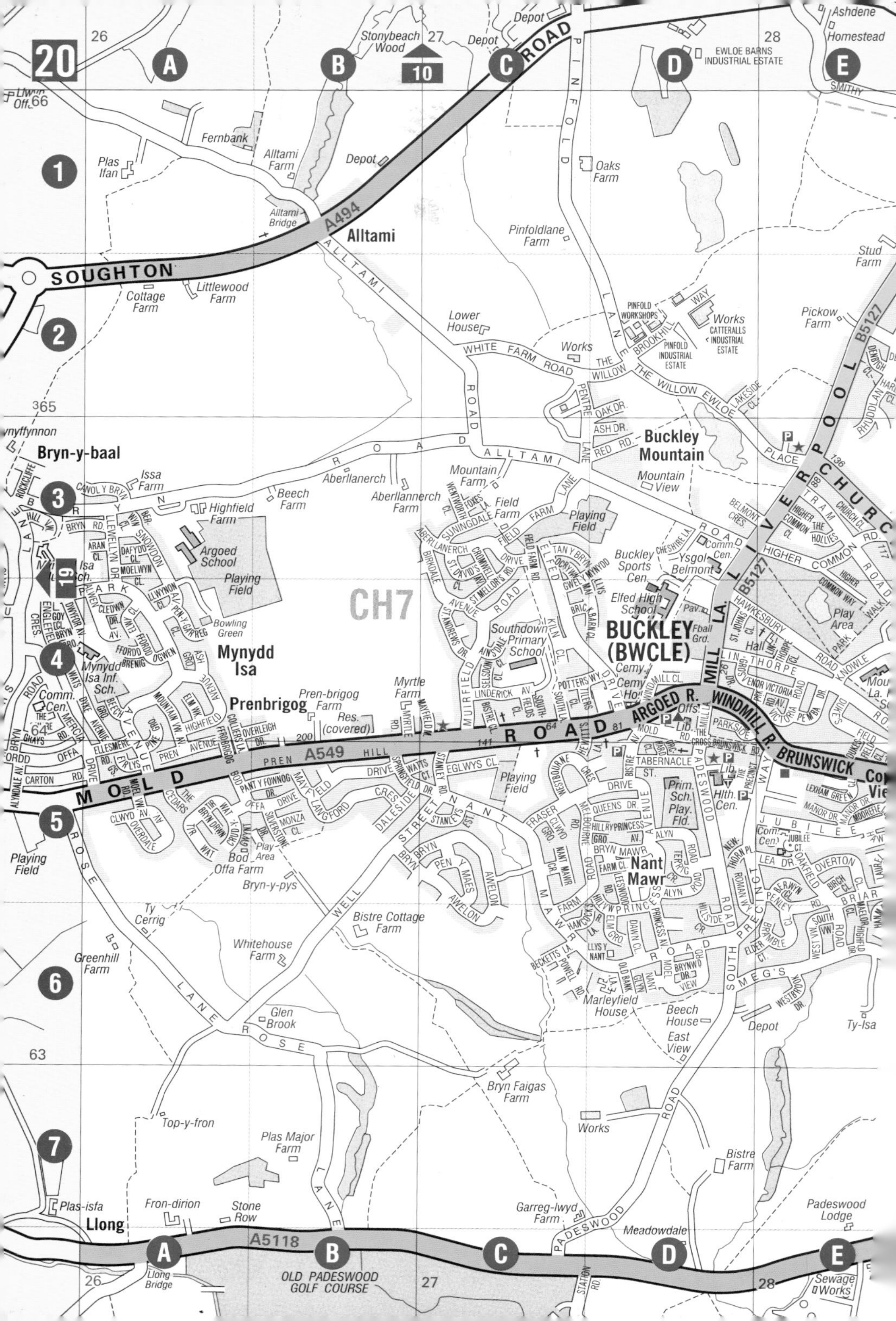

20
A
B
C
D
E
10
19
1
2
3
4
5
6
7
26
27
28
66
365
64
63
Stonybeach Wood
Depot
Ashdene
Homestead
EWLOE BARNS INDUSTRIAL ESTATE
SMITHY
ROAD
PINFOLD LANE
Fernbank
Plas Ifan
Alltami Farm
Depot
Oaks Farm
Alltami Bridge
A494
Alltami
SOUGHTON
Pinfoldlane Farm
Stud Farm
Cottage Farm
Littlewood Farm
PINFOLD WORKSHOPS
BROOKHILL
WAY
Works
CATTERALLS INDUSTRIAL ESTATE
PINFOLD INDUSTRIAL ESTATE
Pickow Farm
B5127
Lower House
WHITE FARM ROAD
Works
THE WILLOW
EWLOE
LAKESIDE CL.
PENTRE LANE
OAK DR.
ASH DR.
RED RD.
Buckley Mountain
PLACE
LIVERPOOL
CHURCH
Bryn-y-baal
ROAD
ALLTAMI
Issa Farm
Aberllanerch
Mountain Farm
Mountain View
Aberllanerch Farm
Beech Farm
Highfield Farm
Field Farm
FIELD FARM LANE
Playing Field
Argoed School
Playing Field
CH7
Buckley Sports Cen.
Ysgol Belmont
Comm. Cen.
HIGHER COMMON RD.
Elfed High School
Pav.
Fball Grd.
Play Area
Hall
Mynydd Isa
Mynydd Isa Inf. Sch.
Bowling Green
Southdown Primary School
BUCKLEY (BWCLE)
Cemy.
Prenbrigog
Pren-brigog Farm
Res. (covered)
Myrtle Farm
MOLD ROAD
ARGOED R.
WINDMILL R.
BRUNSWICK
A549
PREN HILL
Playing Field
Comm. Cen.
Offs.
Lib.
TABERNACLE ST.
Prim. Sch. Play. Fld.
Hlth. Cen.
JUBILEE
Playing Field
ROSE LANE
WELL STREET
NANT MAWR ROAD
Nant Mawr
PADESWOOD ROAD
SOUTH PRECINCT WAY
Bod Offa Farm
Play Area
Bryn-y-pys
Ty Cerrig
Bistre Cottage Farm
Whitehouse Farm
Greenhill Farm
Glen Brook
Marleyfield House
Beech House
East View
Depot
Ty-Isa
MEG'S
Bryn Faigas Farm
Top-y-fron
Works
Plas Major Farm
Bistre Farm
Plas-isfa
Llong
Fron-dirion
Stone Row
Garreg-lwyd Farm
Meadowdale
Padeswood Lodge
A5118
Llong Bridge
OLD PADESWOOD GOLF COURSE
STATION RD.
PADESWOOD
Sewage Works

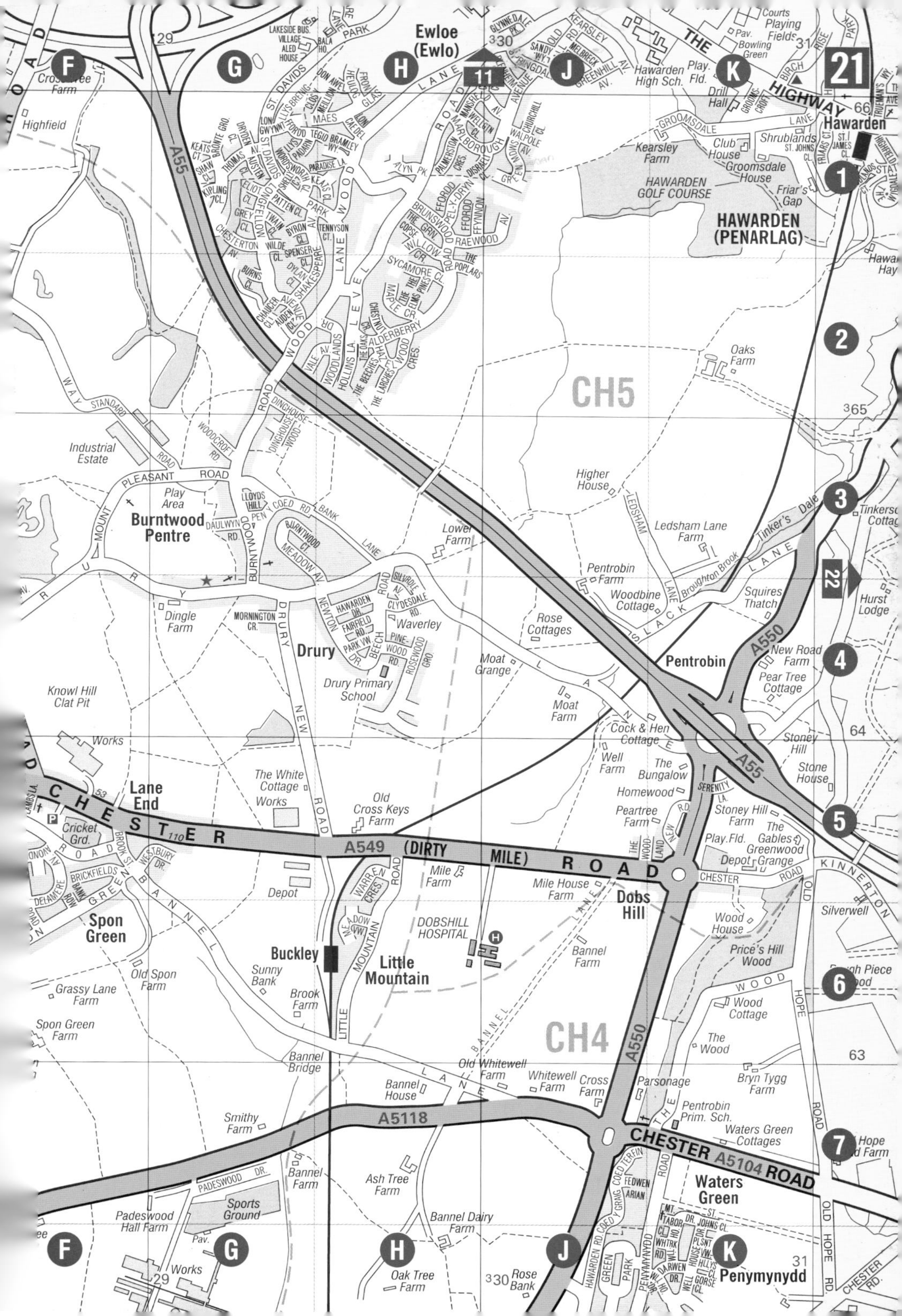
Ewloe (Ewlo)
Hawarden
HAWARDEN (PENARLAG)
HAWARDEN GOLF COURSE
CH5
CH4
Burntwood Pentre
Drury
Pentrobin
Lane End
Spon Green
Buckley
Little Mountain
Dobs Hill
Waters Green
Penymynydd
DOBSHILL HOSPITAL
Drury Primary School
Pentrobin Prim. Sch.
Hawarden High Sch.
THE HIGHWAY
CHESTER ROAD
A549 (DIRTY MILE) ROAD
CHESTER A5104 ROAD
A5118
A55
A550
Industrial Estate
Sports Ground
Padeswood Hall Farm
Oaks Farm
Higher House
Ledsham Lane Farm
Pentrobin Farm
Woodbine Cottage
Rose Cottages
Moat Grange
Moat Farm
Lower Farm
Dingle Farm
Knowl Hill Clat Pit
Old Spon Farm
Grassy Lane Farm
Spon Green Farm
Bannel Bridge
Bannel House
Bannel Farm
Bannel Dairy Farm
Ash Tree Farm
Oak Tree Farm
Rose Bank
Smithy Farm
Old Whitewell Farm
Whitewell Farm
Cross Farm
Parsonage
Waters Green Cottages
Bryn Tygg Farm
The Wood
Wood Cottage
Price's Hill Wood
Wood House
Silverwell
Mile House Farm
Mile Farm
Old Cross Keys Farm
The White Cottage
Works
Depot
Cricket Grd.
Sunny Bank
Brook Farm
Cock & Hen Cottage
Well Farm
The Bungalow
Homewood
Peartree Farm
Stoney Hill Farm
The Gables
Greenwood Grange
Stoney Hill
Stone House
New Road Farm
Pear Tree Cottage
Squires Thatch
Hurst Lodge
Tinker's Dale
Kearsley Farm
Club House
Groomsdale House
Friar's Gap
Shrublands
Courts
Playing Fields
Bowling Green
Drill Hall
Play Area
Highfield
Crosstree Farm
F
G
H
J
K
1
2
3
4
5
6
7
11
22
129
330
31
66
365
64
63
29
53
110

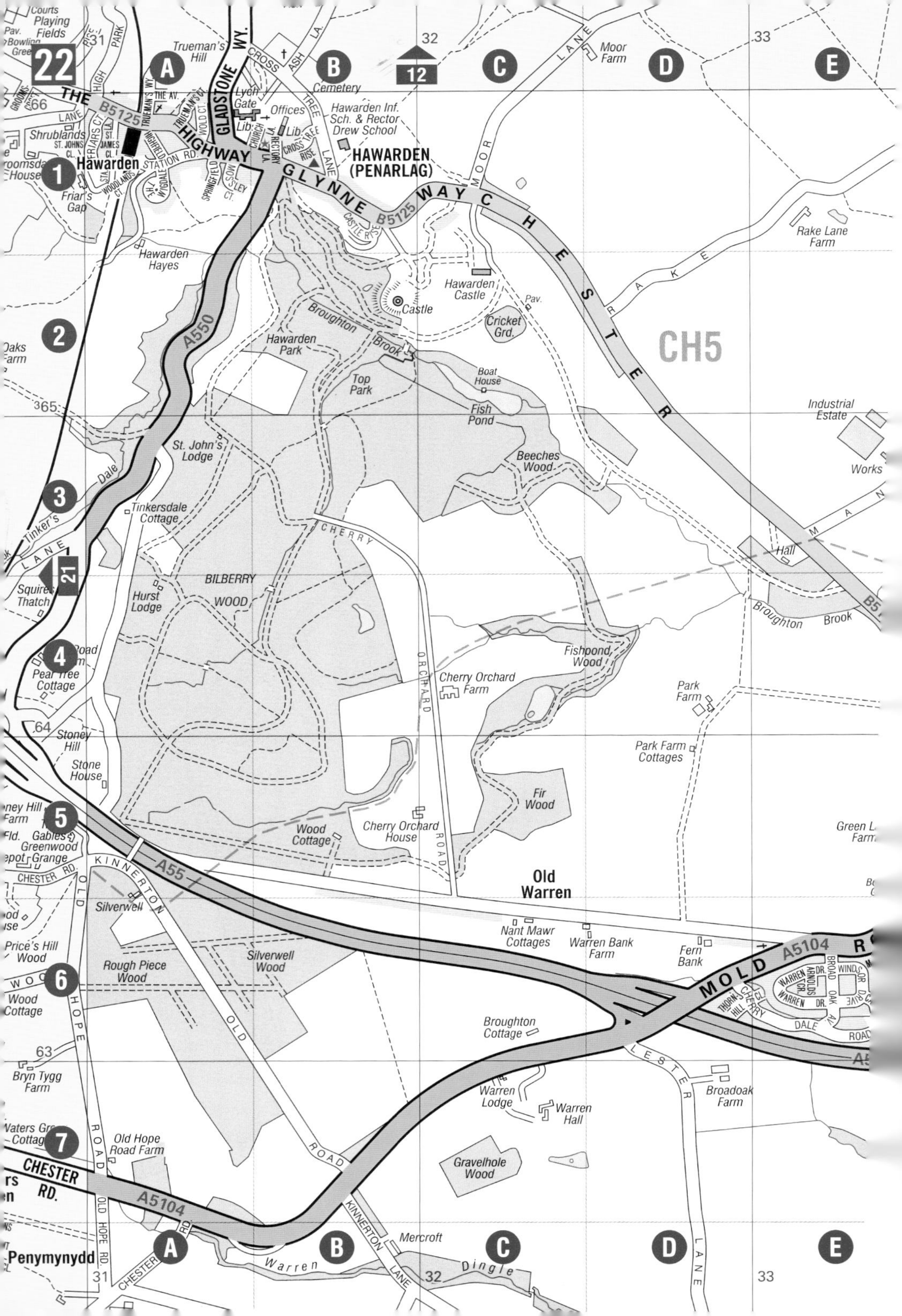
22
A
B
C
D
E
12
32
33
31
1
2
3
4
5
6
7
21
Trueman's Hill
Gladstone Wy.
Cross
Ash La.
Cemetery
Lych Gate
Offices
Lib.
Hawarden Inf. Sch. & Rector Drew School
HAWARDEN (PENARLAG)
The Highway
B5125
Glynne Way
Chester
Moor Lane
Moor Farm
Courts
Playing Fields
Pav.
Bowling Green
Park
High
Shrublands
Hawarden
Friars Ct.
St. Johns Cl.
St. James Ct.
Station Rd.
Woodlands Ct.
Wydale
Springfield
Sowley Ct.
Church La.
Rectory La.
Cross Tree Rise
Tree Lane
Castle Rise
Friar's Gap
Hawarden Hayes
Groomsdale House
A550
Hawarden Castle
Castle
Pav.
Cricket Grd.
Broughton Brook
Hawarden Park
Top Park
Boat House
Fish Pond
Beeches Wood
CH5
Rake Lane
Rake Lane Farm
Industrial Estate
Works
Manor
Hall
B5125
Broughton Brook
Oaks Farm
Tinker's Dale
Tinker's Lane
Tinkersdale Cottage
St. John's Lodge
Cherry Orchard Road
Bilberry Wood
Hurst Lodge
Squires Thatch
Pear Tree Cottage
Stoney Hill
Stone House
Fishpond Wood
Cherry Orchard Farm
Park Farm
Park Farm Cottages
Fir Wood
Cherry Orchard House
Wood Cottage
Green La. Farm
Gables
Greenwood Grange
Chester Rd.
Kinnerton
A55
Old Warren
Silverwell
Nant Mawr Cottages
Warren Bank Farm
Fern Bank
Mold Rd.
A5104
Price's Hill Wood
Rough Piece Wood
Silverwell Wood
Wood Cottage
Old Hope Road
Broughton Cottage
Thornhill Cl.
Cherry Dale
Warren Dr.
Arnolds Cr.
Broad Oak Av.
Windsor Drive
Dale Road
Lester Lane
Bryn Tygg Farm
Warren Lodge
Warren Hall
Broadoak Farm
Old Hope Road Farm
Chester Rd.
Gravelhole Wood
Kinnerton Lane
Mercroft
Warren Dingle
Penymynydd
Old Hope Rd.
65
64
63

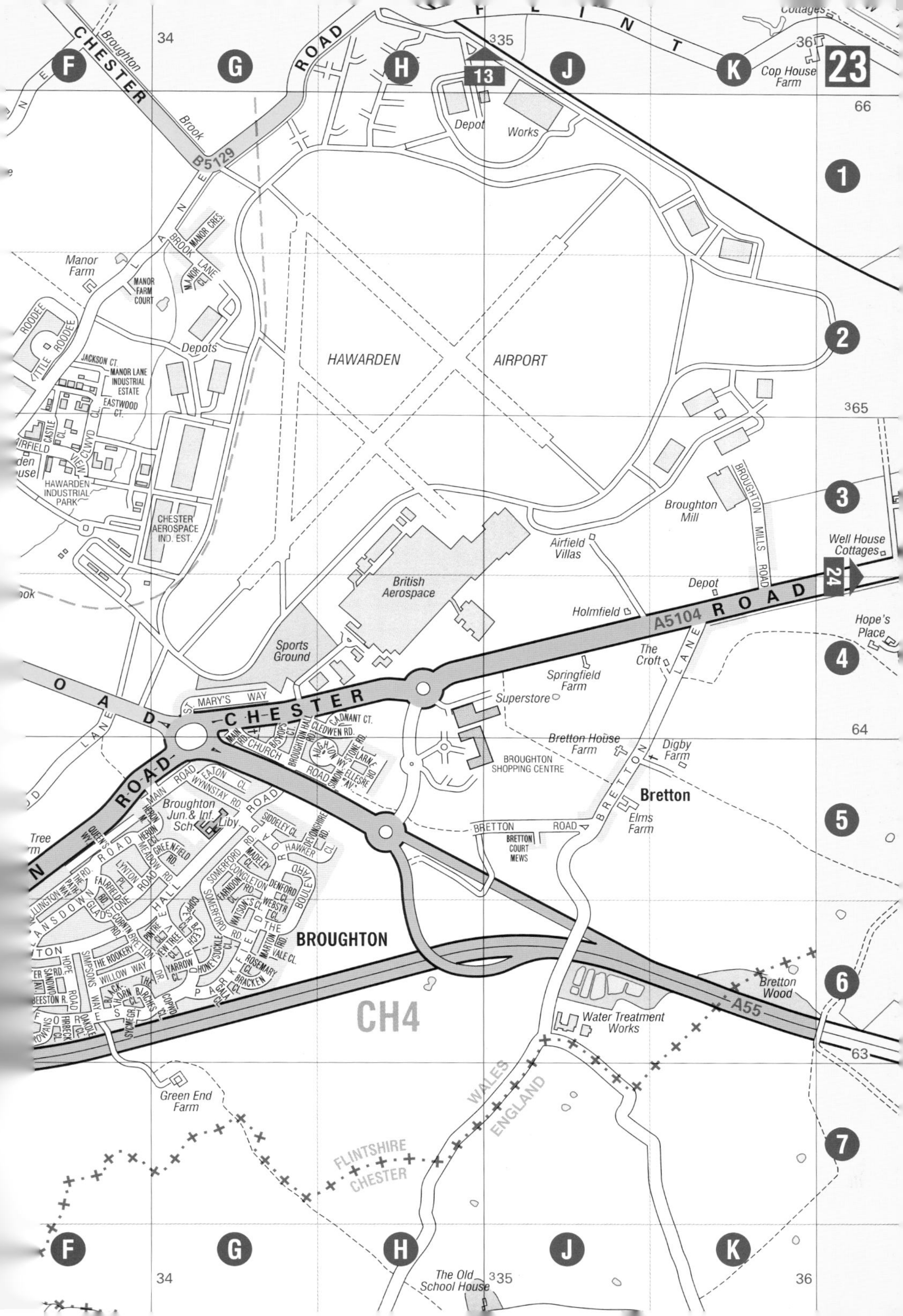

FLINT

C H E S T E R   ROAD

Broughton Brook

B5129

34   335   36

Cottages

Cop House Farm

66

1

13

Depot

Works

MANOR CRES.

Manor Farm

MANOR FARM COURT

MANOR LANE CT.

BROOK LANE

JACKSON CT.

MANOR LANE INDUSTRIAL ESTATE

EASTWOOD CT.

Depots

RODGEE

LITTLE ROODEE

CASTLE

HAWARDEN AIRPORT

2

365

CHESTER AEROSPACE IND. EST.

HAWARDEN INDUSTRIAL PARK

Broughton Mill

BROUGHTON MILLS ROAD

3

Well House Cottages

British Aerospace

Airfield Villas

Depot

Holmfield

A5104 R O A D

24

Hope's Place

4

Sports Ground

S. MARY'S WAY

C H E S T E R

ROAD

LANE

ROAD

The Croft

BRETTON LANE

Springfield Farm

Superstore

64

ST. MARY'S WAY

CADNANT CT.

CLEDWEN RD.

Church

BROUGHTON HALL ROAD

ELLESMERE RD.

EATON CL.

WYNNSTAY RD.

MAIN ROAD

Bretton House Farm

BROUGHTON SHOPPING CENTRE

Digby Farm

Bretton

5

Broughton Jun. & Inf. Sch.

Liby.

SIDDELEY CL.

HAWKER CL.

Elms Farm

BRETTON ROAD

BRETTON COURT MEWS

QUEENS HERON FAIRBROOK GREENFIELD RD.

LANE

ROAD

HALL

SOMERFORD

SINGLETON DENFORD CL.

BROMHEAD BOULE

BROUGHTON

LANSDOWN ROAD GLADSTONE ROAD

THE HOOKER

BROXTON CHEVRONS

WEBSTER

MARTINS VALE CL.

CH4

WILLOW WAY

YARROW

HONEY

RUGBY

BRACKEN

Water Treatment Works

Bretton Wood

A55

6

63

Green End Farm

WALES ENGLAND

FLINTSHIRE CHESTER

7

The Old School House

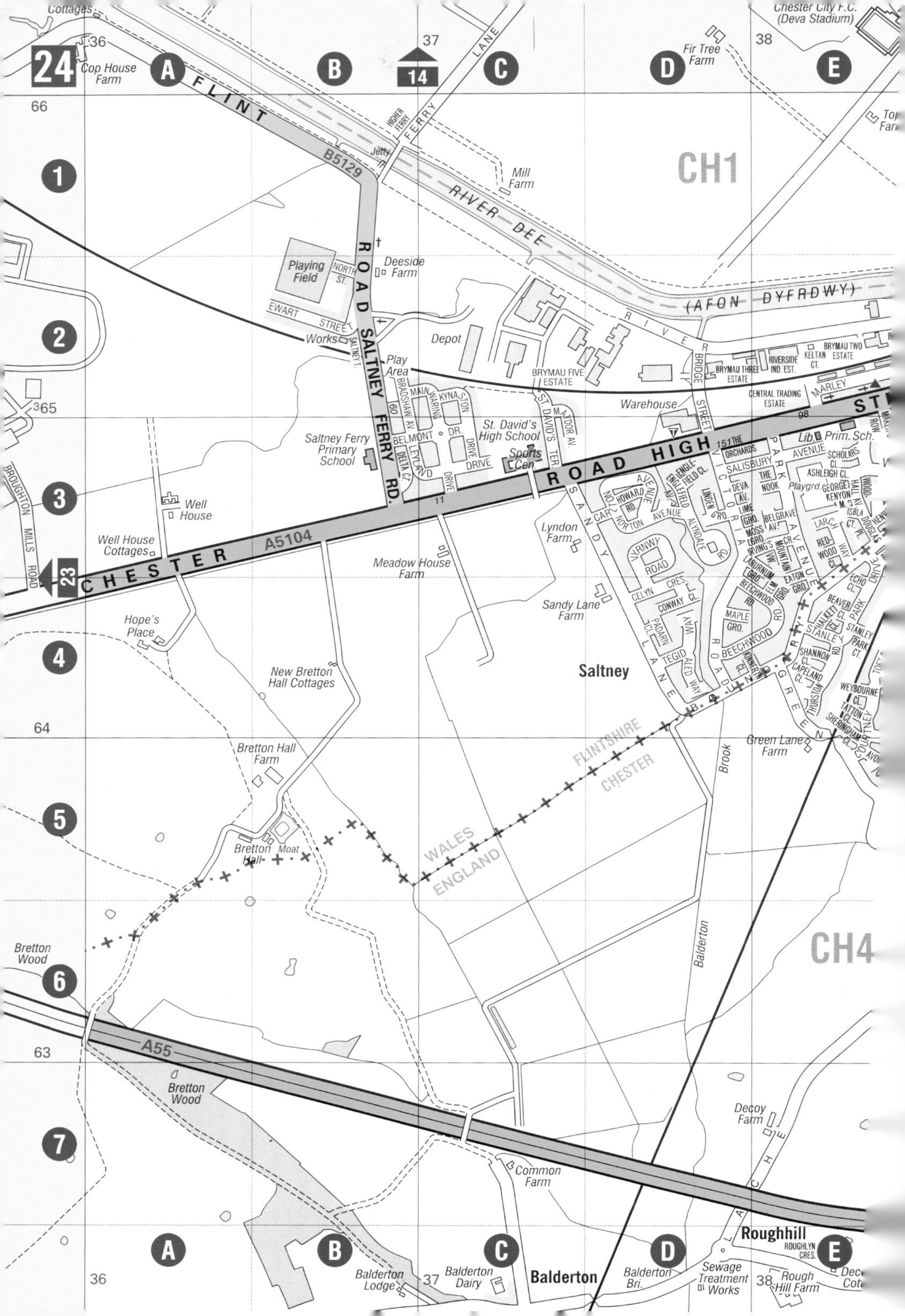
Cottages
Cop House Farm
FLINT ROAD
B5129
Jetty
HIGHER FERRY
FERRY LANE
RIVER DEE
(AFON DYFRDWY)
Mill Farm
Fir Tree Farm
Chester City F.C. (Deva Stadium)
CH1
Playing Field
NORTH ST.
Deeside Farm
EWART STREET
Works
SALTNEY FERRY RD.
Depot
Play Area
BRYMAU FIVE ESTATE
BRYMAU THREE ESTATE
RIVERSIDE IND. EST.
KELTAN CT.
BRYMAU TWO ESTATE
CENTRAL TRADING ESTATE
MARLEY
RIVER BRIDGE STREET
Warehouse
Saltney Ferry Primary School
St. David's High School
Sports Cen.
BRADSHAW AV.
MAINWARING DR.
KYNASTON DRIVE
BELMONT DRIVE
LEYLAND DRIVE
DELTA CT.
ST. DAVID'S TER.
MAYDOR AV.
HIGH ROAD
CHESTER ROAD A5104
THE ORCHARDS
SALISBURY AVENUE
Lib.
Prim. Sch.
SCHOLARS CL.
ASHLEIGH CL.
Playgrd.
GEORGE KENYON M.
Well House
Well House Cottages
BROUGHTON MILLS ROAD
Meadow House Farm
Lyndon Farm
Sandy Lane Farm
SANDY LANE
CARNOL AVENUE
HOWARD RD.
NORTON AVENUE
ENGLEFIELD AV.
ENGLEFIELD CL.
LINDEN GRO.
ALYNDALE RD.
VICTORIA ROAD
PARK AVENUE
DEVA AV.
LIME GRO.
MOSS GRO.
BELGRAVE AV.
IRVING'S CR.
MOUNTAIN VIEW
VYRNWY ROAD
CELYN CRES.
CONWAY CL.
PADARN CL.
TEGID WAY
ALED WAY
LABURNUM GRO.
ELM GRO.
BEECHWOOD RD.
MAPLE GRO.
BEECHWOOD
EATON GRO.
REDWOOD CL.
LARCH WAY
ECHO CL.
BEAVER CL.
HALKETT CL.
STANLEY CL.
STANLEY PARK DRIVE
SHANNON CL.
CAPELAND CL.
THURSTON
WEYBOURNE CL.
TATTON CL.
SHERINGHAM CL.
COURTNEY
BOUNDARY LANE
GREEN LANE
Green Lane Farm
Saltney
Hope's Place
New Bretton Hall Cottages
Bretton Hall Farm
Bretton Hall
Moat
FLINTSHIRE
CHESTER
WALES
ENGLAND
Brook
Balderton
CH4
Bretton Wood
A55
Decoy Farm
Common Farm
CHESTER APPROACH
Roughhill
ROUGHLYN CRES.
Balderton Lodge
Balderton Dairy
Balderton
Balderton Bri.
Sewage Treatment Works
Rough Hill Farm
A B C D E
1 2 3 4 5 6 7
36 37 38
66 365 64 63
14
23

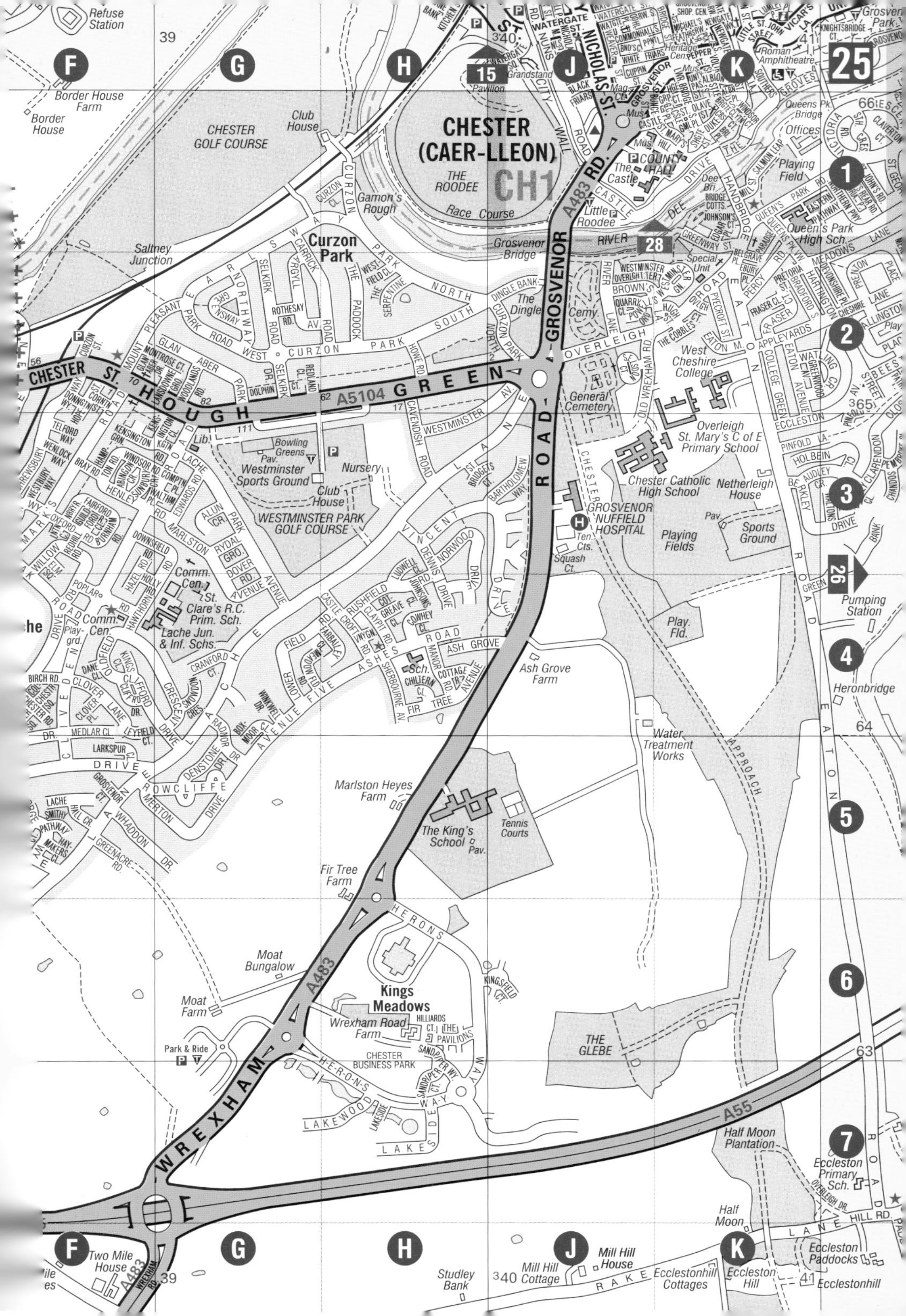
CHESTER (CAER-LLEON)
CH1
THE ROODEE
Race Course
Chester Golf Course
Curzon Park
Westminster Sports Ground
Westminster Park Golf Course
Grosvenor Nuffield Hospital
West Cheshire College
Overleigh St. Mary's C of E Primary School
Chester Catholic High School
The King's School
Kings Meadows
Chester Business Park
Water Treatment Works
The Glebe
Half Moon Plantation
Eccleston Primary Sch.
A483
A5104
A55
GROSVENOR ROAD
HOUGH GREEN
WREXHAM ROAD
EATON ROAD
Queen's Park High Sch.
Lache Jun. & Inf. Schs.
St. Clare's R.C. Prim. Sch.
Heronbridge
Pumping Station
Two Mile House
Mill Hill House
Eccleston Hill
Ecclestonhill Cottages
Eccleston Paddocks
15
28
26

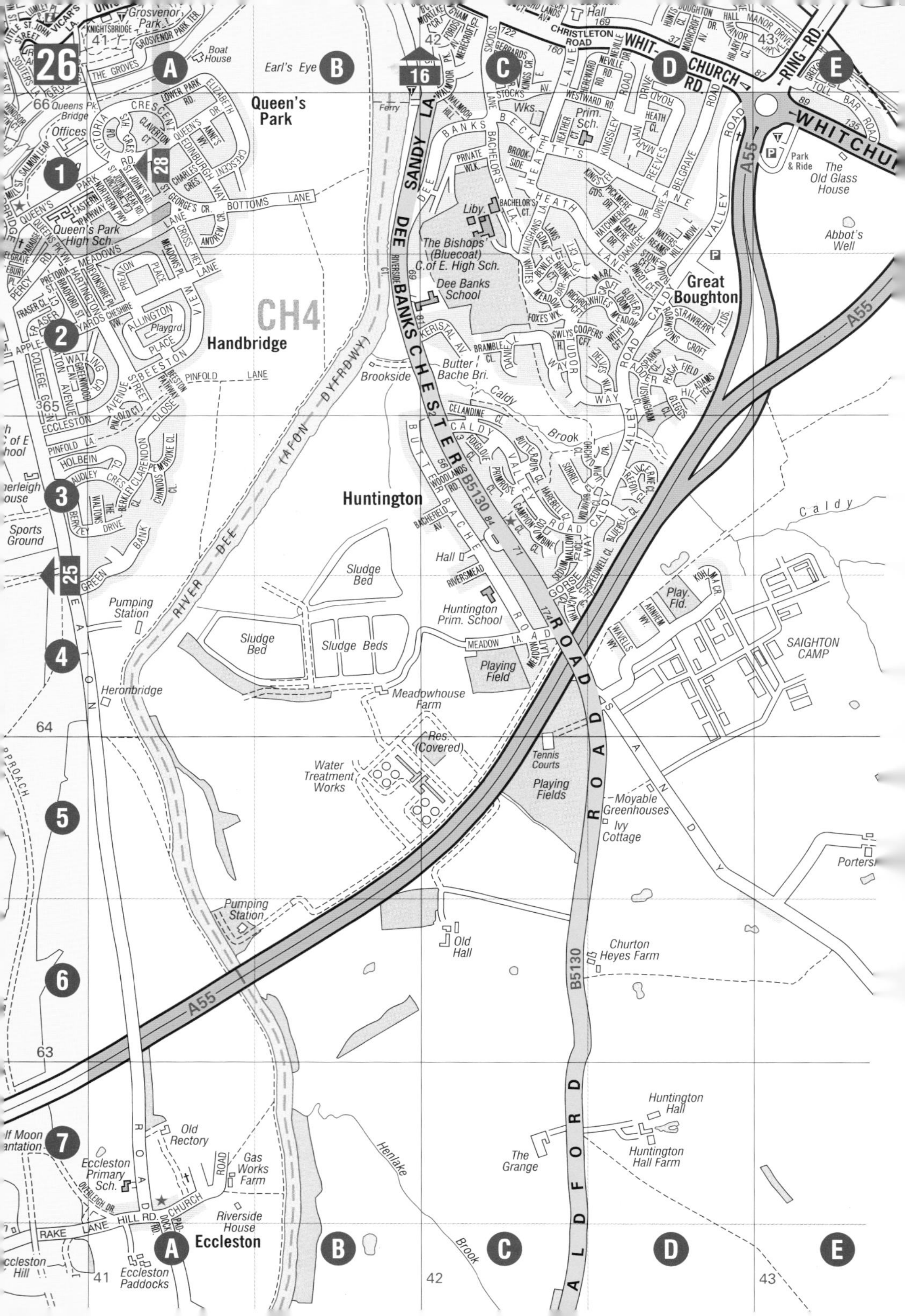
A
B
C
D
E
1
2
3
4
5
6
7
16
28
25
41
42
43
66
65
64
63
CH4
Queen's Park
Handbridge
Huntington
Great Boughton
Eccleston
SAIGHTON CAMP
Earl's Eye
Boat House
Grosvenor Park
Queens Pk. Bridge
Offices
Queen's Park High Sch.
Playgrd.
Sports Ground
Pumping Station
Heronbridge
Old Rectory
Eccleston Primary Sch.
Gas Works Farm
Riverside House
Eccleston Paddocks
Eccleston Hill
Half Moon Plantation
Ferry
Liby.
The Bishops' (Bluecoat) C.of E. High Sch.
Dee Banks School
Prim. Sch.
Wks.
Park & Ride
The Old Glass House
Abbot's Well
Butter Bache Bri.
Brookside
Caldy Brook
Hall
Huntington Prim. School
Sludge Bed
Sludge Beds
Playing Field
Meadowhouse Farm
Res. (Covered)
Water Treatment Works
Tennis Courts
Playing Fields
Moyable Greenhouses
Ivy Cottage
Play. Fld.
Old Hall
Churton Heyes Farm
Huntington Hall
Huntington Hall Farm
The Grange
Henlake Brook
Porters
RIVER DEE (AFON DYFRDWY)
A55
B5130
DEE BANKS
SANDY LA.
CHESTER ROAD
ALDFORD ROAD
SANDY LANE
CHRISTLETON ROAD
WHITCHURCH RD.
RING RD.
TOLL BAR ROAD
BOUGHTON HALL AV.
BOTTOMS LANE
PINFOLD LANE
ECCLESTON AVENUE
HOLBEIN CL.
BEESTON AVENUE
ALLINGTON PLACE
CHESHIRE VW.
QUEEN'S PARK RD.
VICTORIA CRESCENT
LOWER PARK RD.
EDINBURGH WAY
CHARLES CRES.
QUEEN'S DR.
ST. GEORGE'S CR.
ANDREW CR.
CROSS HEY
MEADOWS LANE
VIEW
FRASER AV.
PERCY RD.
WATLING CR.
PRENTON PLACE
AUDLEY CRES.
CLARENDON CLOSE
PEMBROKE CL.
CHANDOS CL.
BERKLEY DRIVE
WALTONS
GREEN BANK
EATON ROAD
CHURCH ROAD
RAKE LANE
HILL RD.
OVERLEIGH DR.
THE GROVES
GROSVENOR PARK TER.
KNIGHTSBRIDGE
PRIVATE WLK.
BACHELORS LANE
BACHELOR'S CT.
HEATH LANE
BECKETT'S LANE
STOCKS LANE
KERISTAL AV.
BRAMBLE CL.
FOXES WK.
CELANDINE CL.
CALDY VALLEY ROAD
BUTTER BACHE ROAD
WOODLANDS RD.
BACHEFIELD AV.
RIVERSMEAD
MEADOW LA.
CALDY ROAD
GORSE WAY
ADDER HILL
STRAWBERRY FLDS.
PEACH FIELD
ARNHEM WY.
WAVELLS WY.
KOHIMA CR.
KINGSLEY
BELGRAVE
REEVES LANE
VALLEY DRIVE
HATCHMERE DR.
PICKMERE DR.
TUDOR WAY

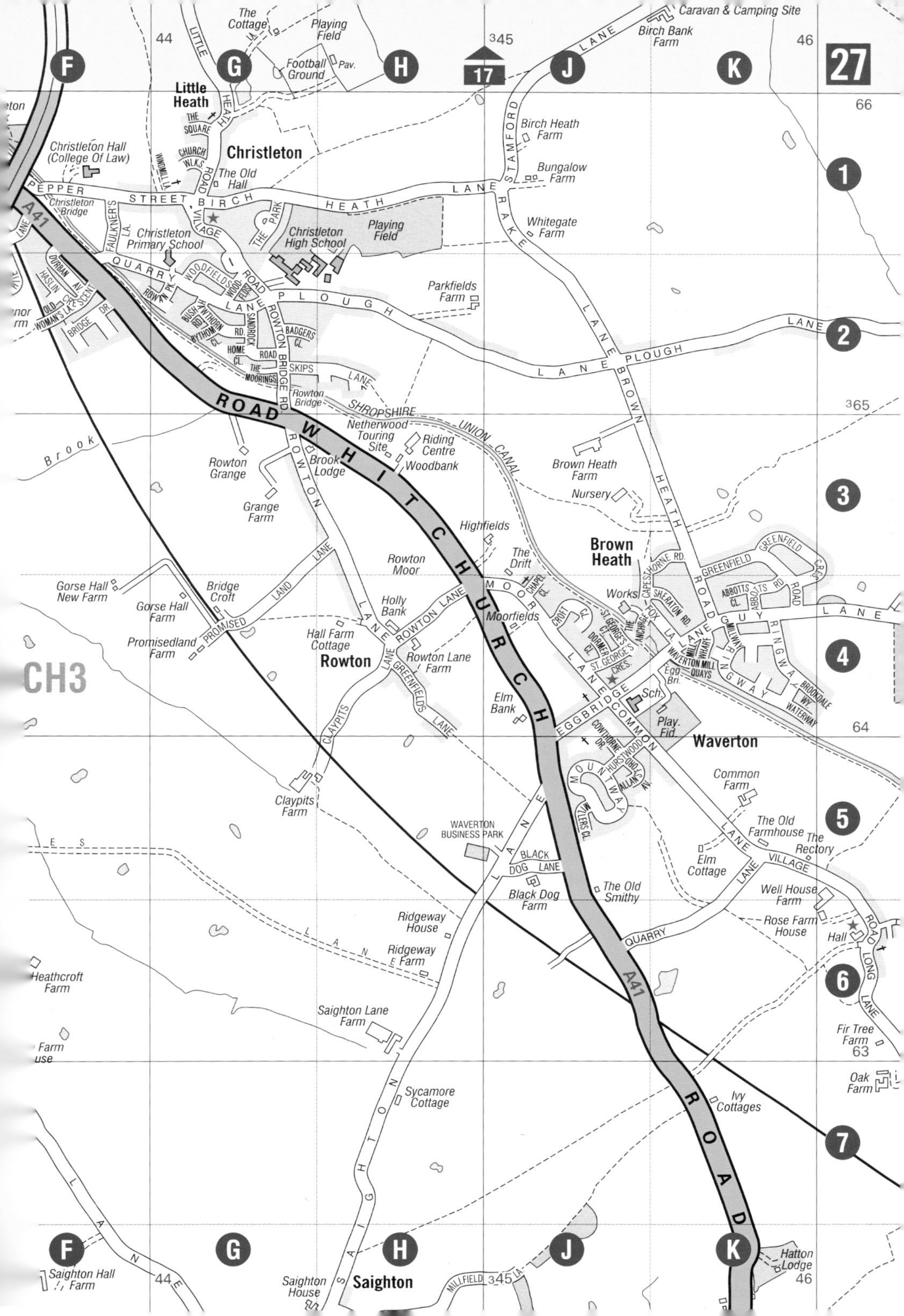

Christleton
Little Heath
Brown Heath
Rowton
Waverton
Saighton
CH3
Christleton Hall (College Of Law)
Christleton Primary School
Christleton High School
Playing Field
The Old Hall
The Cottage
Football Ground
Caravan & Camping Site
Birch Bank Farm
Birch Heath Farm
Bungalow Farm
Whitegate Farm
Parkfields Farm
Brown Heath Farm
Nursery
Riding Centre
Netherwood Touring Site
Woodbank
Brook Lodge
Rowton Grange
Grange Farm
Highfields
Rowton Moor
The Drift
Moorfields
Holly Bank
Hall Farm Cottage
Rowton Lane Farm
Gorse Hall New Farm
Gorse Hall Farm
Promisedland Farm
Bridge Croft
Elm Bank
Works
Claypits Farm
Waverton Business Park
Black Dog Farm
The Old Smithy
Common Farm
The Old Farmhouse
The Rectory
Elm Cottage
Well House Farm
Rose Farm House
Hall
Fir Tree Farm
Oak Farm
Ridgeway House
Ridgeway Farm
Heathcroft Farm
Saighton Lane Farm
Sycamore Cottage
Ivy Cottages
Saighton Hall Farm
Saighton House
Hatton Lodge
Shropshire Union Canal
Whitchurch Road
A41
Pepper Street
Birch Heath Lane
Plough Lane
Brown Heath Lane
Stamford Rake
Quarry Road
Village Road
Rowton Bridge Rd.
Rowton Lane
Promised Land Lane
Moor Lane
Eggbridge Lane
Common Lane
Guy Lane
Greenfield Road
Ringway
Black Dog Lane
Claypits Lane
Greenfields Lane
Saighton Lane
Village Lane
Long Lane
Quarry Lane
Ridgeway Lane
Millfield Lane
Sch.
Play. Fld.
F G H J K
1 2 3 4 5 6 7
17
44 345 46 66 365 64 63

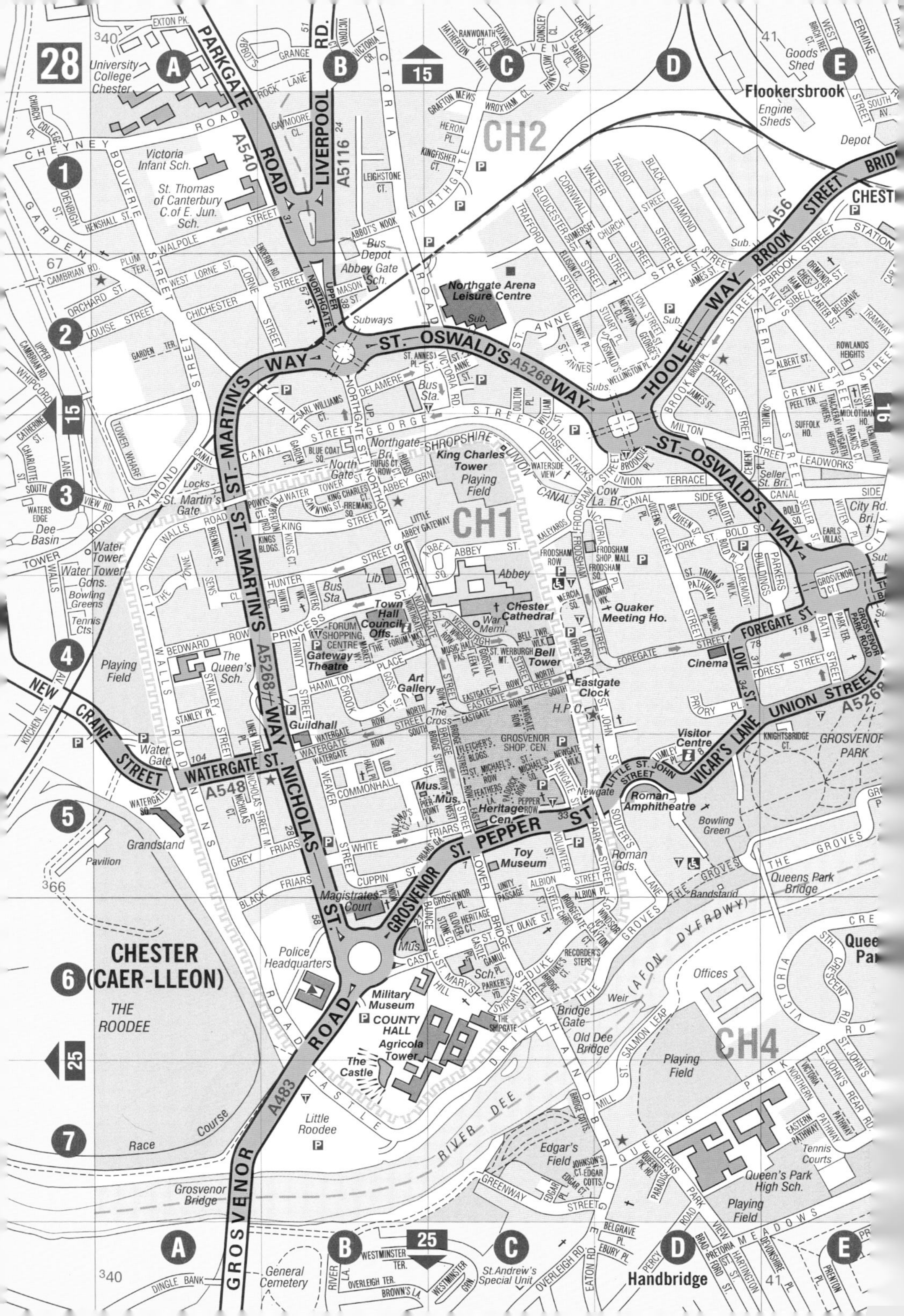

A
B
C
D
E
15
University College Chester
Flookersbrook
Goods Shed
Engine Sheds
CH2
CH1
CH4
Victoria Infant Sch.
St. Thomas of Canterbury C.of E. Jun. Sch.
Northgate Arena Leisure Centre
Bus Depot
Abbey Gate Sch.
King Charles Tower
Playing Field
Abbey
Chester Cathedral
Town Hall
Council Offs.
Gateway Theatre
Art Gallery
Guildhall
Bell Tower
Eastgate Clock
Quaker Meeting Ho.
Cinema
Visitor Centre
Roman Amphitheatre
Grosvenor Park
Toy Museum
Heritage Cen.
Magistrates' Court
Police Headquarters
Military Museum
COUNTY HALL
Agricola Tower
The Castle
Little Roodee
CHESTER (CAER-LLEON)
THE ROODEE
Grandstand
Pavilion
Race Course
River Dee
Grosvenor Bridge
Old Dee Bridge
Bridge Gate
Queens Park Bridge
Queen's Park High Sch.
Playing Field
Edgar's Field
General Cemetery
St.Andrew's Special Unit
Handbridge
The Queen's Sch.
Water Tower
Water Tower Gdns.
Bowling Greens
Tennis Cts.
Dee Basin
ST. OSWALD'S WAY
ST. MARTIN'S WAY
HOOLE WAY
BROOK STREET
GROSVENOR ROAD
ST. PEPPER ST.
NICHOLAS ST.
WATERGATE ST.
NEW CRANE STREET
UNION STREET
FOREGATE ST.
VICAR'S LANE
LITTLE ST. JOHN STREET
PARKGATE ROAD
LIVERPOOL RD.
A540
A5116
A5268
A56
A548
A483
25
16

INDEX TO STREETS

HOW TO USE THIS INDEX

1. Each street name is followed by its Postal District and then by its map reference; e.g. Abbots Pk. *Ches* —4J **15** is in the Chester Posttown and is to be found in square 4J on page **15**. The page number being shown in bold type.
   A strict alphabetical order is followed in which Av., Rd., St., etc. (though abbreviated) are read in full and as part of the street name; e.g. Alderberry Rd. appears after Alder Av. but before Alder Gro.

2. Streets and a selection of Subsidiary names not shown on the Maps, appear in the index in *Italics* with the thoroughfare to which it is connected shown in brackets; e.g. *Albion M. Ches —7K **15** (5C **28**) (off Albion St.)*

3. The page references shown in brackets indicate those streets that appear on the large scale map page 28; e.g. Abbey Grn. *Ches* —6J **15** (3B **28**) appears in square 6J on page **15** and also appears in the enlarged section in square 3B on page **28**.

GENERAL ABBREVIATIONS

All : Alley
App : Approach
Arc : Arcade
Av : Avenue
Bk : Back
Boulevd : Boulevard
Bri : Bridge
B'way : Broadway
Bldgs : Buildings
Bus : Business
Cvn : Caravan
Cen : Centre
Chu : Church
Chyd : Churchyard
Circ : Circle
Cir : Circus
Clo : Close
Comn : Common
Cotts : Cottages
Ct : Court
Cres : Crescent
Cft : Croft
Dri : Drive
E : East
Embkmt : Embankment
Est : Estate
Fld : Field
Gdns : Gardens
Gth : Garth
Ga : Gate
Gt : Great
Grn : Green
Gro : Grove
Ho : House
Ind : Industrial
Junct : Junction
La : Lane
Lit : Little
Lwr : Lower
Mc : Mac
Mnr : Manor
Mans : Mansions
Mkt : Market
Mdw : Meadow
M : Mews
Mt : Mount
N : North
Pal : Palace
Pde : Parade
Pk : Park
Pas : Passage
Pl : Place
Quad : Quadrant
Res : Residential
Ri : Rise
Rd : Road
Shop : Shopping
S : South
Sq : Square
Sta : Station
St : Street
Ter : Terrace
Trad : Trading
Up : Upper
Va : Vale
Vw : View
Vs : Villas
Wlk : Walk
W : West
Yd : Yard

POSTTOWN AND POSTAL LOCALITY ABBREVIATIONS

All : Alltami
Back : Backford
Blac : Blacon
Bret : Bretton
Bri T : Bridge Trafford
Brou : Broughton
Bryn B : Bryn-y-Baal
Buck : Buckley
Cau : Caughall
Ches : Chester
Ches B : Chester Business Park
Chor B : Chorlton-by-Backford
Chris : Christleton
Con Q : Connah's Quay
Cot E : Cotton Edmunds
Dee : Deeside
Dee I : Deeside Industrial Park
Dob : Dobshill
Drury : Drury
Dunk : Dunkirk
Ecc : Eccleston
Ewloe : Ewloe
Flint : Flint
Gard C : Garden City
Gt Bar : Great Barrow
Gt Bou : Great Boughton
Guil S : Guilden Sutton
G'nydd : Gwernymynydd
Hand : Handbridge
Haw : Hawarden
Hel : Helsby
High F : Higher Ferry
High K : Higher Kinnerton
Hoole : Hoole
Hoole V : Hoole Village
Hunt : Huntington
Lache : Lache
L'ton : Littleton
Man : Mancot
Marl L : Marlston-cum-Lache
Mick T : Mickle Trafford
Mold : Mold
Moll : Mollington
Mos : Moston
M Isa : Mynydd Isa
New B : New Brighton
New : Newton
Nor : Northop
Nor H : Northop Hall
Oak : Oakenholt
Pade : Padeswood
Pen : Pentre
Penyf : Penyffordd
Penym : Penymynydd
Pic : Picton
Queen : Queensferry
Row : Rowton
Saig : Saighton
Salt : Saltney
Salt F : Saltney Ferry
Sand : Sandycroft
Saug : Saughall
Sea : Sealand
Shot : Shotton
S'wck : Shotwick
Stoak : Stoak
Syc : Sychdyn
Upton : Upton
Vic X : Vicars Cross
Wav : Waverton
Wer : Wervin
Wim T : Wimbolds Trafford
Wood : Woodbank

INDEX TO STREETS

Abbey Grn. *Ches* —6J **15** (3B **28**)
Abbey Sq. *Ches* —6K **15** (3C **28**)
Abbey St. *Ches* —6K **15** (3C **28**)
Abbots Dri. *Ches* —4J **15**
Abbot's Grange. *Ches* —5J **15** (1A **28**)
Abbots Knoll. *Ches* —4J **15**
Abbot's Nook. *Ches* —5J **15** (1B **28**)
Abbots Pk. *Ches* —4J **15**
Abbot's Ter. *Ches* —3H **15**
bbotts Clo. *Wav* —4K **27**
bbotts Rd. *Wav* —4K **27**
ber Cres. *Nor* —2B **10**
berdaron Dri. *Blac* —5D **14**
ber Las. *Flint* —4D **2**
berllanergh Dri. *Buck* —3C **20**
ber Pk. Ind. Est. *Flint* —1B **2**
(in two parts)
ber Rd. *Flint* —1B **2**
Aber Vw. *Dee* —7E **2**
Abingdon Cres. *Ches* —3F **25**
Acacia Clo. *Mold* —6G **19**
Acorn Bus. Pk. *Flint* —2B **2**
Acres La. *Upton* —6B **8**
Adams Ct. *Row* —4J **27**
Adder Hill. *Gt Bou* —2D **26**
Adelaide Rd. *Blac* —4D **14**
Adwy Wynt. *Flint* —4D **2**
Ael y Bryn. *Mold* —6E **18**
Afondale. *Flint* —2B **2**
Afon Vw. *Con Q* —7E **2**
Agenora Clo. *Dee* —7E **2**
Ainsdale Clo. *Buck* —4C **20**
Airfield Vw. *Haw* —3F **23**
Alamein Rd. *Mos* —6H **7**
Albert Av. *Flint* —3D **2**
Albert St. *Ches* —6A **16** (2E **28**)
*Albion M. Ches —7K **15** (5C **28**)*
(off Albion St.)
Albion Pl. *Ches* —7K **15** (6C **28**)
Albion St. *Ches* —7K **15** (5C **28**)
Alder Av. *Dee* —5J **11**
Alderberry Rd. *Dee* —2H **21**
Alder Gro. *Hoole* —4D **16**
Alderley Pl. *Blac* —2E **14**
Alderney Ho. *Ches* —4D **16**
Aldersey Clo. *Saug* —6A **6**
Aldford Rd. *Ches* —2A **16**
Aldford Rd. *Hunt* —7C **26**
Aled Cres. *Flint* —4B **2**
Aled Ho. *Dee* —7G **11**
Aled Way. *Salt* —4D **24**
Alexandra Rd. *Mold* —5F **19**
Alexandra St. *Dee* —2K **11**
Allans Clo. *Dee* —3A **12**
Allansford Av. *Wav* —5J **27**
Allington Pl. *Hand* —2A **26**
Alltami Rd. *All* —1B **20**
Allt Goch. *Flint* —3C **2**
Alma St. *Ches* —6B **16**
Alpraham Cres. *Ches* —1A **16**
Alun Clo. *Nor H* —4B **10**
Alun Cres. *Ches* —3G **25**
Alvis Rd. *Sand* —5F **13**
Alwen Av. *Bryn B* —4A **20**
Alwen Dri. *Dee* —2G **11**
Alwyn Clo. *Mold* —3E **18**
Alwyn Gdns. *Ches* —7A **8**
Alyndale Av. *M Isa* —5K **19**
Alyndale Rd. *Salt* —3D **24**
Alyn Pk. *Haw* —1H **21**
Alyn Rd. *Buck* —5D **20**
Alyn Rd. *Mick T* —6H **9**
Alyn St. *Mold* —4G **19**
Ambleside. *Ches* —2B **16**
Ambleside Clo. *Dee* —1E **10**
Anchorage, The. *Wav* —4J **27**
Andrew Cres. *Hand* —1A **26**
Anfield Clo. *Dee* —4F **11**
Anne's Way. *Hand* —1A **26**
Anvil Clo. *Saug* —6A **6**

Appleby Dri. *Haw* —6A **12**
Appleton Rd. *Ches* —2A **16**
Applewood Av. *Gar C* —1D **12**
Appleyards La. *Hand* —2K **25**
Aragon Grn. *Blac* —2E **14**
Aran Clo. *Bryn B* —3A **20**
Archers Way. *Ches* —6G **15**
Archway. *Mold* —6G **19**
Arderne Ho. *Ches* —1B **16**
Argoed Av. *New B* —2J **19**
Argoed Rd. *Buck* —4D **20**
Argoed Vw. *New B* —1J **19**
Argyll Av. *Ches* —2G **25**
Arley Clo. *Ches* —2B **16**
Arnhem Way. *Hunt* —4D **26**
Arnold Gro. *Dee* —1H **11**
Arnolds Cres. *Brou* —6E **22**
Arradon Ct. *Upton* —3A **16**
Arrowcroft Rd. *Guil S* —3H **17**
Arthur St. *Ches* —6G **15**
Ascot Ct. *Ches* —6H **15**
Ashby Pl. *Hoole* —5A **16**
Ash Dri. *Buck* —3D **20**
Ashfield Cres. *Blac* —3D **14**
Ashfield Cres. *Man* —6B **12**
Ashfield Rd. *Dee* —2K **11**
Ash Gro. *Ches* —4H **25**
Ash Gro. *Mold* —4E **18**
Ash Gro. *M Isa* —4A **20**
Ash Gro. *Shot* —2K **11**
Ash Hey La. *Pic* —7E **8**
Ash La. *Man* —7B **12**
Ash Lawn Ct. *Ches* —4J **15**
Ashlea Clo. *Man* —6B **12**
Ashleigh Clo. *Salt* —3E **24**
Ashmount Ind. Cen. *Flint* —1C **2**
Ashmuir Clo. *Blac* —5E **14**
Ash Vw. *Dee* —4A **20**
Ashwood Ct. *Hoole* —5C **16**
Ashwood La. *Wer* —3C **8**
Asiatic Cotts. *Saud* —7A **6**
Aspen Clo. *Con Q* —1F **11**
Aspen Gro. *Saug* —1B **14**
Aspen Way. *Hoole* —4D **16**
Aston Hill. *Dee* —5H **11**
Aston Mead. *Haw* —5K **11**
Aston Pk. Rd. *Shot & Queen*
  (in two parts) —4J **11**
Aston Rd. *Queen* —4K **11**
Atis Cft. *Flint* —3E **2**
Auckland Rd. *Blac* —4C **14**
Auden Clo. *Ewloe* —2G **21**
Audley Cres. *Hand* —3K **25**
Aughton Way. *Brou* —5H **23**
Augusta Ho. *Ches* —2E **14**
Austen Clo. *Ewloe* —1G **21**
Avenue, The. *Dee* —1A **22**
Avon Ct. *Dee* —2F **11**
Avon Ct. *Mold* —6G **19**
Avondale Rd. *Buck* —5F **21**
Avonlea Clo. *Salt* —5E **24**

Babbage Rd. *Sand* —4E **12**
Bache Av. *Ches* —3J **15**
Bache Dri. *Ches* —2K **15**
Bachefield Av. *Hunt* —3C **26**
Bache Hall Ct. *Ches* —3J **15**
Bache Hall Est. *Ches* —3J **15**
Bachelor's Ct. *Gt Bou* —1C **26**
Bachelor's La. *Gt Bou* —1C **26**
Bk. of Hoole La. *Ches* —6B **16**
  (off Hoole La.)
Bk. Queen St. *Ches*
  —6K **15** (3D **28**)
Badgers Clo. *Chris* —2G **27**
Badgers Ri. *Con Q* —3F **11**
Badgers Wlk. *Cau* —5A **8**
Bailey Brn. Clo. *Ches* —4K **15**
Bala Ho. *Dee* —7H **11**
Ballater Cres. *Vic X* —6D **16**

Ballerat Way. *Blac* —4D **14**
Balmoral Clo. *Flint* —1A **2**
Balmoral Pk. *Ches* —5H **15**
Bank Clo. *Ches* —3A **16**
Bank Rd. *Con Q* —6F **3**
Bank Row. *Buck* —5F **21**
Banks Rd. *Man* —7B **12**
Bank Vs. *Mold* —4F **19**
Bannel La. *Buck* —5F **21**
Bannel La. *Penym* —6J **21**
Baristow Clo. *Ches*
  —5K **15** (1C **28**)
Barkhill Rd. *Vic X* —6C **16**
Barley Cft. *Gt Bou* —2C **26**
Barmouth Clo. *Dee* —1E **10**
Barnes Clo. *Blac* —2F **15**
Barnyard, The. *Haw* —5K **11**
Barons Clo. *Flint* —2C **2**
Barons Ct. *Ches* —4J **15**
Barony Way. *Ches* —5E **24**
Barrel Well Hill. *Ches* —7B **16**
Bars, The. *Ches* —4E **28**
Bartholomew Way. *Ches* —3J **25**
Bartlett Clo. *Dee* —2C **12**
Barwoods Dri. *Salt* —4E **24**
Bath St. *Ches* —7A **16** (4E **28**)
Beaconsfield Rd. *Dee* —2J **11**
Beaconsfield St. *Ches* —7A **16**
Beaumaris Rd. *Con Q* —1E **10**
Beaumont Clo. *Salt* —3E **24**
Beaver Clo. *Salt* —4E **24**
Becketts La. *Buck* —6C **20**
Beckett's La. *Ches* —1C **26**
Bedford Way. *Mold* —4E **18**
Bedward Row. *Ches*
  —7J **15** (4A **28**)
Beech. *M Isa* —4A **20**
Beech Dri. *Mold* —4E **18**
Beeches La. *Saug* —7A **6**
Beeches, The. *Dee* —2H **21**
Beeches, The. *Upton* —2B **16**
Beech Gro. *Hoole* —5C **16**
Beech Ho. *Ches* —6E **14**
Beechlands Av. *Gt Bou* —7C **16**
Beechmuir. *Blac* —5E **14**
Beech Rd. *Ches* —5J **11**
Beech Rd. *Drury* —4H **21**
Beechway. *Ches* —2J **15**
Beechwood Av. *Dee* —1F **11**
Beechwood Clo. *Mold* —3E **18**
Beechwood Rd. *Salt* —4D **24**
Beeston Pathway. *Hand* —2A **26**
Beeston Rd. *Brou* —6F **23**
Beeston Vw. *Hand* —2A **26**
Belgrave Av. *Salt* —3E **24**
Belgrave Pl. *Hand*
  —2K **25** (7D **28**)
Belgrave Rd. *Gt Bou* —1D **26**
Belgrave St. *Ches*
  —6A **16** (2E **28**)
Bellard Dri. *Hoole* —4C **16**
Bellevue La. *Guil S* —3G **17**
Bell Tower Wlk. *Ches*
  —7K **15** (4C **28**)
Belmont Av. *Con Q* —2H **11**
Belmont Cres. *Buck* —3D **20**
Belmont Dri. *Salt F* —3B **24**
Belvedere Clo. *Dee* —3B **12**
Belvedere Dri. *Blac* —4E **14**
Benllech Clo. *Con Q* —1E **10**
Bennett's La. *Haw* —6K **11**
Benton Dri. *Ches* —4J **15**
Berkley Clo. *Hand* —3A **26**
Berkley Dri. *Hand* —3K **25**
Bernsdale Clo. *Dee* —5D **12**
Berwyn Clo. *Bryn B* —3A **20**
Berwyn Clo. *Buck* —5E **20**
Bewley Ct. *Ches* —2C **26**
Bidston Clo. *Ches* —3K **15**
Birch Clo. *Buck* —5E **20**

Birch Ct. Dee —7F **3**
  (off New Union St.)
Birch Cft. *Man* —6C **12**
Birches, The. *Brou* —6F **23**
Birchfield Cres. *Dee* —5K **11**
Birch Heath La. *Chris* —1G **27**
Birchmuir. *Blac* —5E **14**
Birch Ridge. *Flint* —3A **2**
Birch Ri. *Ches* —2B **15**
Birch Ri. *Haw* —7K **11**
Birch Rd. *Ches* —4F **25**
Birch Tree Ct. *Ches*
  —5A **16** (1E **28**)
Birkdale Av. *Buck* —3C **20**
Bishops Ct. *Brou* —5G **23**
Bishop St. *Hoole* —5B **16**
Bistre Av. *Buck* —5D **20**
Bistre Clo. *Buck* —4C **20**
Black Brook. *Syc* —1F **19**
Blackbrook Av. *Dee* —6A **12**
Black Diamond St. *Ches*
  —5K **15** (1D **28**)
Black Dog La. *Wav* —5J **27**
Black Friars. *Ches*
  —1J **25** (6A **28**)
Black Rd. *Mold* —2E **18**
Blackthorn Clo. *Brou* —6F **23**
Blackthorn Clo. *Hunt* —4C **26**
Blacon Av. *Blac* —3E **14**
Blacon Hall Rd. *Blac* —3F **15**
Blacon Point Rd. *Blac* —5D **14**
Blaen Wern. *G'nydd* —7B **18**
Blake Clo. *Blac* —2F **15**
Blenheim Clo. *Dee* —7J **11**
Bluebell Clo. *Hunt* —3D **26**
Blue Coat Almshouses. *Ches*
  —6J **15** (3B **28**)
  (off Up. Northgate St.)
Blue Coat Sq. *Ches*
  —6J **15** (3B **28**)
Bodlondeb. *Flint* —4D **2**
Bodnant Gro. *Dee* —2F **11**
Bod Offa Dri. *Buck* —5A **20**
Bold Pl. *Ches* —7K **15** (3D **28**)
Bold Sq. *Ches* —6K **15** (3D **28**)
Bolesworth Rd. *Ches* —2B **16**
Boleyn Clo. *Blac* —2E **14**
Bollam Clo. *Dee* —7E **2**
Bolland's Ct. *Ches*
  —7J **15** (5B **28**)
Bollingbrooke Heights. Flint
  (off Feathers St.) —1C **2**
Book Mt. *Mold* —5F **19**
Border Way. *Vic X* —7E **16**
Borough Gro. *Flint* —2D **2**
Bottoms La. *Hand* —1A **26**
Boughton. *Ches* —7A **16**
Boughton Hall Av. *Ches* —7C **16**
Boughton Hall Dri. *Gt Bou*
  —7D **16**
Boulevard, The. *Brou* —6G **23**
Boundary La. *Salt* —4D **24**
Bouverie St. *Ches*
  —5J **15** (1A **28**)
Boxmoor Clo. *Ches* —5G **25**
Bracken Clo. *Brou* —6G **23**
Bradford St. *Hand*
  —2K **25** (7D **28**)
Bradshaw Av. *Salt F* —2B **24**
Braemar Clo. *Vic X* —5E **16**
Braeside Av. *Dee* —6A **12**
Bramble Clo. *Buck* —6E **20**
Bramble Clo. *Ches* —2D **16**
Brambles, The. *M Isa* —4J **19**
Brambles, The. *Shot* —2K **11**
Bramley Way. *Haw* —1H **21**
Brassey St. *Ches* —7B **16**
Bray Rd. *Ches* —3F **25**
Breeze Hill. *Dee* —1H **11**
Brennus Pl. *Ches* —6J **15** (3A **28**)
Brentwood Rd. *Blac* —3E **14**

Bretton Clo. *Upton* —3A **16**
Bretton Ct. M. *Bret* —5J **23**
Bretton Dri. *Brou* —6F **23**
Bretton La. *Bret* —5J **23**
Bretton Rd. *Bret* —5J **23**
Briar Dri. *Buck* —5E **20**
Brickbarn Clo. *Buck* —4C **20**
Brickfield La. *L'ton* —6H **17**
Brickfields. *Buck* —5F **21**
Bricky La. *Chris* —7G **17**
Bridge Cotts. *Hand*
  —1K **25** (7C **28**)
Bridge Ct. *Ches* —6C **16**
Bridge Dri. *Chris* —2F **27**
Bridgegate Chambers. *Ches*
  —1K **25** (6C **28**)
Bridgeman Rd. *Blac* —5E **14**
Bridgend. *Mick T* —6J **9**
Bridge Pl. *Ches* —1K **25** (6C **28**)
Bridge St. *Ches* —7K **15** (5C **28**)
Bridge St. *Dee* —1J **11**
Bridge St. *Mold* —4G **19**
Bridge St. *Salt* —2D **24**
Bridge St. Row E. *Ches* —5C **28**
Bridge St. Row W. *Ches* —5C **28**
Bridge Ter. *Gt Bou* —6D **16**
Bridge Vw. *Dee* —1D **12**
Bridgewater Dri. *Vic X* —6E **16**
Bridle Pl. *Ches* —6K **15**
Brisbane Rd. *Blac* —4C **14**
Bristol Clo. *Blac* —4C **14**
Broadmead. *Vic X* —6E **16**
Broad Oak Av. *Brou* —6E **22**
Broad Oak Clo. *Dee* —2F **11**
Broadway. *Con Q* —2G **11**
Broadway. *Haw* —6G **11**
Broadway E. *Ches* —3A **16**
Broadway W. *Ches* —3K **15**
Bro Alun. *Mold* —4F **19**
Bro Deg. *Flint* —3B **2**
Brodie Clo. *Mos* —6J **7**
Bromfield Clo. *Mold* —6G **19**
Bromfield Ind. Est. *Mold* —6G **19**
  (in two parts)
Bromfield La. *Mold* —6G **19**
  (in two parts)
Bromfield Pk. *Mold* —6G **19**
Broncoed Bus. Pk. *Mold* —7G **19**
Broncoed La. *Mold* —7F **19**
Broncoed Pk. *Mold* —6G **19**
Bron Llwyn. *Flint* —4D **2**
Bronte Gro. *Ewloe* —1G **21**
Bron y Nant. *Mold* —5G **19**
Bron-yr-Eglwys. *M Isa* —5J **19**
Brookdale Av. *Dee* —2G **11**
Brookdale Clo. *Flint* —3B **2**
Brookdale Pl. *Ches* —3D **28**
Brookdale Way. *Wav* —4K **27**
Brooke Av. *Ches* —7B **8**
Brookes Av. *Brou* —6F **23**
Brookfield Dri. *Ches* —4A **16**
Brookhill Way. *Buck* —2D **20**
Brook La. *Ches* —5J **15**
Brook La. *Dee* —1G **23**
Brookleigh Av. *Man* —6B **12**
Brookmore Ct. Ches —5J **15**
  (off Brook La.)
Brook Pl. *Ches* —6K **15** (2D **28**)
Brook Rd. *Shot* —2J **11**
Brookside. *Ches* —1C **26**
Brookside. *Dee* —1C **12**
Brookside. *Nor H* —4B **10**
Brookside Cres. *Nor H* —4B **10**
Brookside Ter. *Hoole* —5K **15**
Brook St. *Buck* —5F **21**
Brook St. *Ches* —6K **15** (2D **28**)
Brook St. *Mold* —5F **19**
Brook St. Nor —2A **10**
  (off Holywell Rd.)
Brook St. Bri. *Ches*
  —5A **16** (2E **28**)

Broughton Hall Rd. *Brou* —6F **23**
Broughton Mills Rd. *Bret*
—3K **23**
Broughton Shop. Cen. *Brou*
—5J **23**
Brown Heath Rd. *Chris & Wav*
—2J **27**
Browning Clo. *Blac* —2F **15**
Brown's La. *Hand*
—2J **25** (7B **28**)
Browns Pl. *Sand* —5E **12**
Brunswick Rd. *Buck* —5D **20**
(in two parts)
Brunswood Grn. *Haw* —1H **21**
Brushwood Av. *Flint* —3A **2**
Brymau Five Est. *Salt* —2C **24**
Brymau One Est. *Salt* —2E **24**
Brymau Three Est. *Salt* —2D **24**
Brymau Two Est. *Salt* —2E **24**
Bryn Awelon. *Buck* —5B **20**
Bryn Awelon. Flint —4D **2**
(off Noel Pk.)
Bryn Awelon. *Mold* —3G **19**
Bryn Cae Pl. *Dee* —7G **3**
Bryn Clwyd. *M Isa* —3K **19**
Bryn Coch Cres. *Mold* —6E **18**
Bryn Coch La. *Mold* —6E **18**
Bryn-coed-Wepre. *Con Q* —4E **10**
Bryn Derw. *Flint* —4D **2**
Bryn Derwen. *M Isa* —5A **20**
Bryn Dri. *Dee* —6A **12**
Bryn Eithin. *G'nydd* —7A **18**
Bryn Garmon. *Mold* —4E **18**
Bryn Glas. *Flint* —3B **2**
Bryn Gro. *M Isa* —4K **19**
Bryn Gwyn. *Flint* —4D **2**
Bryn-Gwyn La. *Nor H* —3C **10**
Bryn Helyg. *Flint* —4D **2**
Bryn Heulog. *Mold* —5E **18**
Bryn Hilyn La. *Mold* —6G **19**
Bryn Hyfryd. *Syc* —2A **18**
Bryn La. *New B* —2J **19**
Bryn Mawr Av. *Buck* —5D **20**
Bryn Mor Dri. *Flint* —3B **2**
Bryn Noddfa. *Mold* —4E **18**
Bryn Offa. *M Isa* —5J **19**
Bryn Onnen. *Flint* —4D **2**
Bryn Rhyd. *Nor* —2A **10**
Bryn Rd. *Bryn B & All* —5K **19**
Bryn Rd. *Dee* —7F **3**
Bryn Rd. *M Isa* —3K **19**
(in two parts)
Bryn Seion La. *Syc* —2A **18**
Bryn Seion Ter. *Syc* —2A **18**
Bryn Siriol. *Flint* —3D **2**
Bryn Teg. *Syc* —2A **18**
Bryn, The. *Flint* —3C **2**
Brynwood Dri. *Buck* —6D **20**
Buckingham Av. *Vic X* —6D **16**
Bulkeley St. *Ches* —7C **16**
Bumper's La. *High F* —7F **15**
Bunbury Clo. *Stoak* —1C **8**
Bunce St. *Ches* —1K **25** (6C **28**)
Burges St. *Hoole* —5B **16**
Burnham Rd. *Ches* —3F **25**
Burns Clo. *Ewloe* —2G **21**
Burns Way. *Blac* —2E **14**
Burntwood Ct. *Buck* —3G **21**
Burntwood Rd. *Buck* —4G **21**
Burton Ct. *Dee* —1F **11**
Burton Rd. *Blac* —3E **14**
Bush Rd. *Chris* —2G **27**
Butler St. *Shot* —3K **11**
Butterbache Rd. *Hunt* —3B **26**
Butterbur Clo. *Hunt* —3C **26**
Buttermere Clo. *Con Q* —1E **10**
Bye Pass, The. *L'ton* —6G **17**
Byron Clo. *Blac* —2D **14**
Byron Clo. *Con Q* —3F **11**
Byron Clo. *Ewloe* —1G **21**
Bythom Clo. *Chris* —2G **27**

Cable St. *Con Q* —7G **3**
Cadnant Clo. *Blac* —5D **14**
Cadnant Ct. *Brou* —4H **23**
Cae Berwyn. *Syc* —2B **18**
Cae Bracty. *Mold* —5F **19**
Cae Bychan. *Flint* —4D **2**
Cae Derw. *Flint* —3D **2**
Cae Glas. *Mold* —6D **18**
Cae Haf. *Nor H* —4C **10**
Cae Hir. *Flint* —3D **2**
Cae Hir. *Mold* —5D **18**
Cae Isa. *New B* —1J **19**
Cae Llys Clo. *Dee* —3E **10**
Caernarvon Clo. *Shot* —3K **11**
Caesar Av. *Flint* —3E **2**
Cairndale Av. *Dee* —1F **11**
Cairns Cres. *Blac* —4D **14**
Caldbech Cres. *Con Q* —1E **10**
Caldlas Clo. *Con Q* —4E **10**
Caldy Av. *Dee* —2F **11**
Caldy Clo. *Ches* —3K **15**
Caldy Valley Rd. *Gt Bou & Hunt*
—3C **26**
Cambrian Av. *Vic X* —6D **16**
Cambrian Clo. *Dee* —1G **11**
Cambrian Clo. *Mold* —7G **19**
Cambrian Ct. *Ches* —6H **15**
Cambrian Rd. *Ches*
—6H **15** (2A **28**)
Cambrian Vw. Ches —5H **15**
(off Whipcord La.)
Cambrian Way. *Ewloe* —6J **11**
Cambridge Rd. *Ches* —3B **16**
Campion Clo. *Hunt* —3C **26**
Camrose. *Con Q* —4D **10**
Canadian Av. *Hoole* —4C **16**
Canal Side. *Ches*
—6K **15** (3D **28**)
Canal St. *Ches* —6J **15** (3A **28**)
Canberra Way. *Ches* —4D **14**
Canning St. *Ches*
—6J **15** (3B **28**)
Canol y Bryn. *Bryn B* —3A **20**
Canterbury Rd. *Blac* —3F **15**
Capeland Clo. *Salt* —4E **24**
Capesthorne Rd. *Chris* —4J **27**
Carlines Av. *Ewloe* —6J **11**
Carlisle Rd. *Blac* —3E **14**
Carlton Av. *Salt* —3D **24**
Carlton Clo. *Mick T* —7G **9**
Carlton Pl. *Ches* —4C **16**
Carmel Clo. *Ches* —5D **14**
Caroline Ho. *Blac* —2E **14**
Carrick Rd. *Ches* —4H **25**
Car St. *Ches* —6A **16** (2E **28**)
Carter St. *Ches* —6A **16** (2E **28**)
Carton Rd. *M Isa* —5N **19**
Castle Clo. *Haw* —3F **23**
Castle Cft. Rd. *Ches* —4H **25**
Castle Dri. *Ches* —1J **25** (7B **28**)
Castle Dyke St. *Flint* —1D **2**
Castle Heights. *Flint* —2C **2**
Castle Hill St. *Dee* —4K **11**
Castle M. *Shot* —2J **11**
Castle Pk. Av. *Con Q* —3E **10**
Castle Pl. *Ches* —1K **25** (6C **28**)
Castle Ri. *Haw* —1B **22**
Castle Rd. *Flint* —1D **2**
Castle St. *Ches* —1J **25** (6B **28**)
Castle St. *Flint* —1D **2**
Cathcart Grn. Guil S —3H **17**
(off Summerfield Rd.)
Catherine Dri. *Ewloe* —6J **11**
Catherine St. *Ches*
—6H **15** (2A **28**)
Catteralls Ind. Est. *Buck* —2D **20**
Caughall Rd. *Cau* —4A **8**
Cavalier Dri. *Blac* —2E **14**
Cavendish Rd. *Ches* —2H **25**
Cawdor Dri. *Vic X* —6C **16**
Cecil St. *Ches* —7C **16**

Cedar Av. *Con Q* —1E **12**
Cedar Av. *Dee* —6E **2**
Cedar Clo. *Sea* —1E **12**
Cedar Ct. Dee —7F **3**
(off Church St.)
Cedar Dri. *Hoole* —4D **16**
Cedar Gdns. *Dee* —5J **11**
Cedar Gro. *Hoole* —4D **16**
Cedar Gro. *Mold* —4E **18**
Cedar M. *Ches* —4E **14**
Cedar Pk. *Ches* —6E **16**
Cedars, The. *M Isa* —5A **20**
Cefna Clo. *Dee* —3E **10**
Cefn Rd. *Con Q* —7F **3**
Celandine Clo. *Hunt* —2C **26**
Celtic St. *Con Q* —1J **11**
Celyn Av. *Dee* —1G **11**
Celyn Cres. *Salt* —4D **24**
Cement Pl. *Ches*
—6A **16** (3D **28**)
Cemlyn Clo. *Blac* —5E **14**
Central Dri. *Shot* —3K **11**
Central Trad. Est. *Salt* —2E **24**
Cestrian St. *Con Q* —7H **3**
Chain Maker's Row. *Salt* —3E **24**
Challinor St. *Ches* —7C **16**
Chambers La. *M Isa & Bryn B*
—5K **19**
Chandos Clo. *Ches* —3A **26**
Channel, The. *Back* —3H **7**
Chantry Ct. *Ches* —6E **14**
Chapel Clo. *Row* —4J **27**
Chapel Clo. *Saug* —6A **6**
Chapel Ct. *Dee* —7G **3**
Chapel Ho. La. *Pudd* —1E **4**
Chapel La. *Ches* —7C **16**
Chapel Pl. *Flint* —2C **2**
Chapel St. *Ches* —6A **16**
Chapel St. *Con Q* —1G **11**
Chapel St. *Flint* —2C **2**
Chapel St. *Mold* —5F **19**
Charles Cres. *Ches* —1A **26**
Charles Dri. *Flint* —3D **2**
Charles Rd. *Mos* —7H **7**
Charles St. *Ches*
—6K **15** (2D **28**)
Charles St. *Hoole* —5B **16**
Charles St. *Mold* —7F **19**
Charlotte Ct. *Ches*
—6K **15** (3D **28**)
Charlotte St. *Ches*
—6H **15** (3A **28**)
Charmleys La. *Shot* —2K **11**
Charterhall Dri. *Ches* —6B **16**
Chaser Ct. *Ches* —5F **15**
Chatsworth Dri. *Ches* —3C **16**
Chaucer Clo. *Blac* —2E **14**
Chaucer Clo. *Ewloe* —2G **21**
Chelford Clo. *Ches* —7F **15**
Chemistry Rd. *Pen* —4C **12**
Cheriton Clo. *Dee* —4E **10**
Cherry Dale Rd. *Brou* —6D **22**
Cherry Gro. Rd. *Ches* —7C **16**
Cherry Orchard Rd. *Haw* —3B **22**
Cherry Rd. *Ches* —7C **16**
Chesham St. *Ches*
—6A **16** (2E **28**)
Cheshire La. *Buck* —3D **20**
Cheshire Vw. *Ches* —2A **26**
Chester Aerospace Ind. Est. *Haw*
—3G **23**
Chester App. *Ches* —3J **25**
Chester Bus. Pk. *Ches B*
—6H **25**
Chester Clo. *Dee* —3J **11**
Chester Gates. *Dunk* —1D **6**
Chester Gates Ind. Pk. *Dunk*
—2D **6**
Chester Retail Pk. *Ches* —5G **15**
Chester Rd. *Back* —1F **7**
Chester Rd. *Bri T & Hel* —4H **9**

Chester Rd. *Brou* —4G **23**
Chester Rd. *Buck* —5F **21**
Chester Rd. *Dob* —5K **21**
Chester Rd. *Flint* —2D **2**
Chester Rd. *Haw* —1C **22**
Chester Rd. *Mold* —4G **19**
Chester Rd. *Pen* —4B **12**
Chester Rd. *Penym* —7K **21**
Chester Rd. *Sand* —6E **12**
Chester Rd. E. *Shot & Queen*
(in two parts) —3B **12**
Chester Rd. W. *Shot & Queen*
—1J **11**
Chester St. *Flint* —1D **2**
Chester St. *Mold* —5F **19**
Chester St. *Salt* —2F **25**
Chesterton Av. *Ewloe* —1G **21**
Chester W. Employment Pk. *Ches*
—6D **15**
Chestnut Clo. *Ches* —5C **16**
Chestnut Clo. *Flint* —3B **2**
Chestnut Clo. *Syc* —1F **19**
Chestnut Ct. Dee —7F **3**
(off New Union St.)
Chestnut Cres. *Haw* —2H **21**
Chestnut Gro. *Haw* —6A **12**
Chestnut Rd. *Mold* —5D **18**
Chevron Clo. *Ches* —4E **14**
Chevron Hey. *Blac* —4D **14**
Chevrons Rd. *Shot* —3K **11**
Cheyney Rd. *Ches*
—5H **15** (1A **28**)
Chichester St. *Ches*
—6J **15** (2A **28**)
Chiltern Clo. *Ches* —4H **25**
Chiltern Clo. *Dee* —2F **11**
Chirk Clo. *Ches* —2B **16**
Chorlton La. *Chor B* —1H **7**
(in two parts)
Christleton Rd. *Ches* —7B **16**
Church Clo. *Buck* —3E **20**
Church Clo. *Nor H* —4B **10**
Chu. College Clo. *Ches*
—5H **15** (1A **28**)
Chu. Hall Clo. *Ches* —4F **15**
Church Hill. *Con Q* —7G **3**
Churchill Clo. *Dee* —1J **21**
Church La. *Back* —3H **7**
Church La. *Ches* —1K **15**
Church La. *Ewloe* —5H **11**
Church La. *Guil S* —4H **17**
Church La. *Haw* —1B **22**
Church La. *Mold* —4F **19**
Church Rd. *Brou* —5G **23**
Church Rd. *Buck* —3E **20**
Church Rd. *Dee* —7G **3**
Church Rd. *Ecc* —7A **26**
Church Rd. *Nor* —2B **10**
Church Rd. *Saug* —7A **6**
Church Steadings. Wav —6K **27**
(off Village Rd.)
Church St. *Ches*
—5K **15** (1D **28**)
Church St. *Con Q* —6E **2**
Church St. *Flint* —2C **2**
Church Vw. *Pen* —5D **12**
Church Walks. *Chris* —1G **27**
Churchward Clo. *Ches* —4K **15**
Church Way. *Blac* —3E **14**
Churton Rd. *Ches* —6C **16**
Churton St. *Ches* —6C **16**
Cilfan. *Flint* —2B **2**
Cilnant. *Mold* —5D **18**
Cinder Clo. *Guil S* —3H **17**
Cinder La. *Guil S* —4H **17**
Circular Dri. *Ches* —5E **24**
Circular Dri. *Dee* —6G **11**
City Rd. *Ches* —6A **16** (3E **28**)
City Walls Rd. *Ches*
—6J **15** (4A **28**)
Clair Av. *Dee* —5E **12**

Clare Av.—Earlsway

Clare Av. *Hoole* —5B **16**
Clare Ho. *Blac* —2E **14**
Claremont Av. *Dee* —2C **12**
Claremont Wlk. *Ches*
    —7K **15** (4D **28**)
Clarence Av. *Ches* —6D **16**
Clarence St. *Dee* —3K **11**
Clarendon Clo. *Ches* —3A **26**
Claverton Ct. *Ches*
    —1A **26** (6E **28**)
Clay La. *Dee* —4A **12**
Claypit Rd. *Ches* —4H **25**
Claypits La. *Row* —5H **27**
Clayton Ct. *Ches*
    —1K **25** (6C **28**)
Clayton Ct. *Mold* —5E **18**
Clayton Rd. *Mold* —5D **18**
Cleaver Rd. *Blac* —4E **14**
Cledwen Dri. *Bryn B* —4A **20**
Cledwen Rd. *Brou* —4H **23**
Cleveland Gro. *Dee* —2C **12**
Cleves Clo. *Ches* —2D **14**
Clifford Dri. *Ches* —4F **25**
Clifton Dri. *Blac* —5E **14**
Clifton Pk. Av. *Dee* —7F **3**
Cliveden La. *Ches* —5F **25**
Clivedon Rd. *Dee* —2E **10**
Clos Coed. *Man* —4C **12**
Close, The. *Blac* —5D **14**
Close, The. *Ewloe* —7J **11**
Close, The. *Mold* —6E **18**
Close, The. *Saug* —7A **6**
Closy Meillion. *Haw* —1G **21**
Clover La. *Ches* —4F **25**
Clover Pl. *Ches* —4F **25**
Clwyd Av. *M Isa* —5A **20**
Clwyd Clo. *Haw* —3F **23**
Clwyd Cres. *New B* —2J **19**
Clwyd Gro. *Buck* —5C **20**
Clwyd St. *Shot* —4K **11**
Clydesdale Rd. *Buck* —4H **21**
Coalpit La. *Back* —1E **6**
Coalpit La. *Moll* —4C **6**
Cobbles, The. *Ches* —2K **25**
Coed Bach. *Flint* —3B **2**
Coed Onn Rd. *Flint* —3C **2**
Coed Terfin. *Penym* —7J **21**
Coed y Graig. *Penym* —7J **21**
Colchester Sq. *Ches* —4F **25**
Colehill Pl. *Con Q* —6F **3**
Coleshill Lea. Flint —1C 2
(off Coleshill St.)
Coleshill St. *Flint* —1C **2**
Colinwood Av. *Brou* —6F **23**
College Grn. *Ches* —2K **25**
College Vw. *Con Q* —6E **2**
Colliers La. *M Isa* —4A **20**
Colliery La. *Man* —5B **12**
Coltsfoot Clo. *Hunt* —4C **26**
Columbine Clo. *Hunt* —3C **26**
Commonhall St. *Ches*
    —7J **15** (5B **28**)
Common La. *Wav* —4J **27**
Compton Pl. *Ches* —3G **25**
Congleton Rd. *Brou* —5G **23**
Coniston Clo. *Con Q* —2E **10**
Coniston Dri. *Buck* —4E **20**
Coniston Rd. *Ches* —2B **16**
Connah's Quay Rd. *Nor* —2B **10**
Connaught Av. *Dee* —2K **11**
Conway Av. *Buck* —6F **21**
Conway Clo. *Flint* —4B **2**
Conway Clo. *Salt* —4D **24**
Conway Ct. *Con Q* —1E **10**
Conway St. *Mold* —6F **19**
Coopers Cft. *Ches* —2C **26**
Cooper's La. *Con Q* —6F **3**
Copeswood Clo. *Brou* —6G **23**
Coppack Clo. *Con Q* —3E **10**
Coppafield Clo. *Buck* —5F **21**

Coppa Vw. *Buck* —5E **20**
Copper Beech Clo. *Brou* —6G **23**
Coppice, The. *Ewloe* —6H **11**
Coppins Clo. *Ches* —6C **16**
Copse, The. *Haw* —1H **21**
Cornist Dri. *Flint* —2B **2**
Cornist La. *Flint* —2A **2**
Cornist Rd. *Flint* —2B **2**
Cornwall Rd. *Ches* —1A **16**
Cornwall Rd. *Dee* —3K **11**
Cornwall St. *Ches*
    —5K **15** (1C **28**)
Coronation Rd. *Brou* —6F **23**
Coronation St. *Ches* —2F **25**
Corporation St. *Flint* —1C **2**
Coruny Bryn. *Con Q* —3E **10**
Corwen Clo. *Con Q* —2E **10**
Cotebrook Dri. *Upton* —1A **16**
Cotes Pl. *Blac* —5E **14**
Cotgreave Clo. *Ches* —4H **25**
Cotswold Clo. *Ches* —2B **16**
Cotswold Ct. *Ches* —7C **16**
Cottage Gdns. *Buck* —5F **21**
Cottage La. *Man* —5B **12**
Cottage Rd. *Ches* —4H **25**
Cotterill Clo. *Dee* —3F **11**
Countess Ct. *Ches* —3H **15**
Countess Way. *Ches* —3H **15**
Courbet Dri. *Con Q* —7E **2**
Courtland Dri. *Dee* —4J **11**
Courtney Rd. *Salt* —5E **24**
Cousens Way. *Ches* —4H **15**
Cowhey Clo. *Ches* —4H **25**
Cowthorne Dri. *Wav* —4J **27**
Crabwall Pl. *Blac* —3F **15**
Craithie Rd. *Ches* —6C **16**
Cranbrook Clo. *Dee* —2G **11**
Crane Bank. *Ches* —7H **15**
Crane Wharf. *Ches* —7H **15**
Cranford Ct. *Ches* —4G **25**
Cranleigh Cres. *Ches* —4H **15**
Crawford's Wlk. *Hoole* —5B **16**
Crescent, The. *New* —4K **15**
Crewe St. *Ches* —6A **16** (2E **28**)
Croes Atti La. *Oak* —3E **2**
Croft Av. *Dee* —2G **11**
Croft Clo. *Row* —4J **27**
Crofters Pk. *Sand* —5E **12**
Crofters Way. *Man* —6C **12**
Crofters Way. *Saug* —7K **5**
Croft, The. *Ches* —3K **15**
Croft, The. *Dee* —5K **11**
Cromwell Av. *Buck* —3C **20**
Cromwell Clo. *Dee* —7H **11**
Crookenden Clo. *Mos* —6J **7**
Crookenden Rd. *Mos* —6J **7**
Crook St. *Ches* —7J **15** (4B **28**)
Cross Grn. *Ches* —2A **16**
Cross Hey. *Ches* —1A **26**
Crossley Cres. *Ches* —3D **16**
Cross St. *Ches* —6B **16**
Cross, The. *Buck* —4D **20**
Cross, The. *Mold* —5F **19**
Cross Tree La. *Haw* —7B **12**
Cross Tree Ri. *Haw* —1B **22**
Crossway. *Ewloe* —6H **11**
Crossways. *Man* —5C **12**
Crossways. *Shot* —3K **11**
Croughton Rd. *Stoak* —1B **8**
    (in two parts)
Crud-y-Gwynt. *M Isa* —5A **20**
Cunliffe St. *Mold* —6F **19**
Cuppin St. *Ches* —7J **15** (5B **28**)
Curzon Clo. *Ches* —1H **25**
Curzon Pk. N. *Ches* —1H **25**
Curzon Pk. S. *Ches* —2G **25**
Curzon St. *Ches & Salt* —2F **25**
Cwm Clo. *M Isa* —5K **19**
Cwm Eithin. *Flint* —4D **2**
Cwrt Onnen. *Man* —7C **12**
Cyman Clo. *Ches* —5D **14**

Dafydd Clo. *Bryn B* —3A **20**
Daisy Hill Rd. *Buck* —5E **20**
Dale Dri. *Ches* —7K **7**
Dale Rd. *Dee* —4J **11**
Daleside. *Buck* —5B **20**
Daleside. *Ches* —7K **7**
Dale St. *Ches* —7C **16**
Dalton Clo. *Blac* —5E **14**
Dane Clo. *Ches* —4F **25**
Dane Gro. *Mick T* —6H **9**
Daniell Way. *Ches* —2C **26**
Daniel Owen Precinct. Mold
(off High St.) —5F **19**
Darlington Cres. *Saug* —6A **6**
Darwen Dri. *Penym* —7K **21**
Darwin Rd. *Blac* —4C **14**
Daulwyn Rd. *Buck* —3G **21**
Dauncey Clo. *Mos* —6J **7**
Dawn Clo. *Buck* —6D **20**
Dawpool Clo. *Upton* —3K **15**
Dawson Dri. *Ches* —5J **15**
Daytona Dri. *Nor H* —4C **10**
Ddol Awel. *Mold* —5D **18**
Deanery Clo. *Ches* —4J **15**
Dean's Av. *Dee* —1G **11**
Deansbury Clo. *Flint* —2A **2**
Deans Clo. *Ches* —2K **15**
Deans Pl. *Dee* —1H **11**
Dee Banks. *Gt Bou* —1B **26**
Dee Cotts. *Flint* —2D **2**
Dee Fords Av. *Ches* —7C **16**
Dee Hills Pk. *Ches* —7A **16**
Dee La. *Ches* —7A **16** (4E **28**)
Dee Rd. *Con Q* —2G **11**
Dee Rd. *Gard C* —1D **12**
Dee Rd. *Mick T* —6H **9**
Deeside Cvn. Site. *High F*
    —6C **14**
Deeside Cres. *Sea* —3J **13**
Deeside Enterprise Pk. *Shot*
    —2A **12**
Deeside Ind. Est. *Dee* —5D **4**
Deeside Ind. Pk. *Dee* —4B **4**
Deeside La. *Sea* —3J **13**
Dee Vw. *Shot* —4A **12**
Dee Vw. Rd. *Con Q* —6F **3**
Deganwy Way. *Buck* —2E **20**
Degas Clo. *Con Q* —7E **2**
Deinoil's Rd. *Man* —6C **12**
Delamere Av. *Buck* —6F **21**
Delamere St. *Ches*
    —6J **15** (2B **28**)
Dell, The. *Guil S* —3H **17**
Delta Ct. *Salt F* —3B **24**
Delves Wlk. *Ches* —2D **26**
Delvine Dri. *Ches* —2K **15**
Demage La. *Back* —3F **7**
Demage La. *Upton* —1K **15**
Demage La. S. *Upton* —1K **15**
Denbigh Clo. *Buck* —2E **20**
Denbigh Rd. *Mold* —2E **18**
Denbigh St. *Ches*
    —5H **15** (1A **28**)
Denford Clo. *Brou* —5G **23**
Denhall Clo. *Ches* —3A **16**
Dennis Dri. *Ches* —3H **25**
Denson Dri. *Ewloe* —6J **11**
Denstone Dri. *Ches* —5G **25**
Dentith Dri. *Blac* —3E **14**
Derby Pl. *Hoole* —5A **16**
Derwen Clo. *Dee* —7G **3**
Derwent Rd. *Ches* —3B **16**
Deva Av. *Dee* —7F **3**
Deva Av. *Salt* —3D **24**
Deva Bus. Pk. *Dee* —7E **4**
Deva Clo. *Flint* —3E **2**
Deva Ct. *Hoole* —6B **16**
Deva La. *Ches* —2J **15**
Deva Link. *Ches* —6G **15**
Deva Ter. *Ches* —7A **16**
Devon Rd. *Ches* —3B **16**

Devonshire Pl. *Ches*
    —2A **26** (7E **28**)
Devonshire Rd. *Brou* —5G **23**
Dicksons Dri. *Ches & New*
    —3K **15**
Dinas Clo. *Blac* —5D **14**
Dinghouse. *Buck* —2G **21**
Dinghouse Wood. *Buck* —3G **21**
Dingle Bank. *Ches*
    —2J **25** (7A **28**)
Dirty Mile. *Buck* —5H **21**
Disraeli Clo. *Haw* —1H **21**
Dock Rd. *Con Q* —7G **3**
Dodds Ct. *Dee* —4J **11**
Dodd's Dri. *Dee* —1H **11**
Dolphin Ct. *Ches* —2G **25**
Don Awel. *Haw* —7H **11**
Donne Pl. *Ches* —2F **15**
Donnington Way. *Ches* —2F **25**
Dorchester Rd. *Ches* —4F **25**
Dorfold Way. *Ches* —2A **16**
Dorin Ct. *Upton* —2K **15**
Dormer Clo. *Row* —4J **27**
Dorset Pl. *Ches* —3C **16**
Dorset Rd. *Ches* —1B **16**
Douglas Pl. *Salt* —3E **24**
Dover Rd. *Ches* —4G **25**
Dovey Clo. *Dee* —2F **11**
Dovey Clo. *Flint* —4B **2**
Downham Pl. *Ches* —4E **14**
Downsfield Rd. *Ches* —3F **25**
Downswood Ct. *Ches* —4J **15**
Downswood Dri. *Ches* —4J **15**
Dreflan. *Mold* —4E **18**
Drive A. *Dee* —5E **4**
Drive B. *Dee* —5E **4**
Drive C. *Dee* —5E **4**
Drive D. *Dee* —6E **4**
Drome Rd. *Dee I* —6E **4**
Drury La. *Buck* —4F **21**
Drury New Rd. *Buck* —4G **21**
Dryden Clo. *Ewloe* —1G **21**
Duckers La. *Dee* —6C **12**
Duffryn Clo. *Buck* —5F **21**
Duke's Ct. *Ches* —6C **28**
Dukesfield Clo. *Buck* —5E **20**
Duke's Fld. Dri. *Buck* —4E **20**
Duke St. *Ches* —1K **25** (6C **28**)
Duke St. *Flint* —2C **2**
Duke St. *Syc* —2B **18**
Dukesway. *Upton* —1A **16**
Duke Wlk. Flint —2C 2
(off Duke St.)
Dulas Ct. *Ches* —7A **8**
Dulverton Av. *Ches* —6E **16**
Dunbar Clo. *Dee* —6F **3**
Dundas St. *Dee* —3B **12**
Dunham Way. *Ches* —2B **16**
Dunkirk La. *Dunk* —1D **6**
Dunlin Av. *Dee* —7F **3**
Durban Av. *Chris* —2F **27**
Durham Rd. *Blac* —3E **14**
Duttons La. *Upton* —7C **8**
Dwyfor Av. *Bryn B* —4K **19**
Dyfed Dri. *Queen* —4B **12**
Dylan Clo. *Ewloe* —2G **21**
Dyserth Rd. *Blac* —5D **14**

Eardswick Clo. *Ches*
    —5K **15** (1C **28**)
Earles Cres. *Dee* —5C **12**
Earl Rd. *Mold* —5F **19**
Earls Lea. Flint —1C 2
(off Earl St.)
Earls Oak. *Upton* —1K **15**
Earl's Port. *Ches* —6H **15**
Earlston Ct. *Ches* —7A **16**
Earl St. *Flint* —1C **2**
Earls Vs. *Ches* —3E **28**
Earlsway. *Ches* —2G **25**

East Clo. *M Isa* —5J **19**
Eastern Pathway. *Ches* —1K **25** (7E **28**)
Eastfields Gro. *Saug* —7A **6**
Eastgate Row N. *Ches* —7K **15** (4C **28**)
Eastgate Row S. *Ches* —4C **28**
Eastgate St. *Ches* —7K **15** (4C **28**)
East Grn. *Sea* —2E **12**
East Vw. *New B* —2J **19**
Eastwood Ct. *Haw* —2F **23**
Eaton Av. *Ches* —2K **25**
Eaton Av. *Con Q* —2H **11**
Eaton Clo. *Brou* —5G **23**
Eaton Gro. *Salt* —4E **24**
Eaton M. *Ches* —2K **25**
Eaton Rd. *Ches & Ecc* —2K **25** (7C **28**)
Ebury Pl. *Hand* —2K **25** (7D **28**)
Eccleston Av. *Ches* —3K **25**
Echo Clo. *Salt* —4E **24**
Edgar Cotts. *Ches* —7D **28**
Edgar Ct. *Ches* —7C **28**
Edgar Pl. *Ches* —7C **28**
Edgar Pl. *Hand* —1K **25**
Edge Gro. *Ches* —6B **16**
Edinburgh Way. *Ches* —1A **26**
Edmund St. *Mold* —6F **19**
Edna St. *Ches* —5B **16**
Edwards Rd. *Ches* —3G **25**
Edwin Dri. *Flint* —3D **2**
Egerton Dri. *Ches* —3K **15**
Egerton Rd. *Blac* —3D **14** (in two parts)
Egerton St. *Ches* —6A **16** (2E **28**)
Eggbridge La. *Wav* —4J **27**
Eglwys Clo. *Buck* —5C **20**
Eirlys Gdns. *M Isa* —5A **20**
Elder Dri. *Salt* —4E **24**
Elder Ho. *Brou* —5G **23**
Elder Ho. *Ches* —6E **14**
Elfed Dri. *Buck* —3C **20**
Elgin Clo. *Ches* —5C **16**
Elidie Clo. *Dee* —7E **2**
Eliot Clo. *Ewloe* —1G **21**
Elizabeth Cres. *Ches* —7A **16**
Ellesmere Av. *Brou* —5H **23**
Ellesmere Av. *Ches* —3K **15**
Ellesmere Rd. *M Isa* —5A **20**
Ellison Ct. *Ches* —2C **28**
Elm Av. *Con Q* —1F **11**
Elm Av. *Flint* —2B **2**
Elm Cft. *Man* —6C **12**
Elm Dri. *Mold* —4E **18**
Elm Dri. *Nor H* —4B **10**
Elm Gro. *Buck* —6D **20**
Elm Gro. *Salt* —4E **24**
Elm Rd. *Dee* —5J **11**
Elm Sq. *Ches* —3F **25**
Elms, The. *Dee* —2H **21**
Elmuir. *Ches* —5E **14**
Elm Wlk. *M Isa* —4A **20**
Elm Way. *Haw* —6G **11**
Elmwood Av. *Ches* —4B **16**
Elmwood Clo. *Dee* —4K **11**
Elstree Av. *Ches* —5D **16**
lwy Clo. *Bryn B* —4A **20**
lwy Cres. *Flint* —4B **2**
mbassy Clo. *Blac* —3C **14**
nderby Rd. *Ches* —5J **15** (2B **28**)
ndsleigh Clo. *Ches* —7A **8**
ndsleigh Gdns. *Upton* —7A **8**
ngineer Ind. Est. *Sand* —4E **12**
nglefield Av. *Dee* —7F **3**
nglefield Av. *Salt* —3D **24**
nglefield Cres. *M Isa* —4K **19**
nglefield Dri. *Flint* —3E **2**
nnerdale Rd. *Ches* —3B **16**
Epsom Ct. *Ches* —6H **15**
Ermine Rd. *Ches* —4A **16** (1E **28**)
Erw Fach. *M Isa* —3K **19**
Erw Goed. *M Isa* —3K **19**
Essex Rd. *Ches* —3C **16**
Estuary Vw. *Ewloe* —6J **11**
Ethelda Dri. *Ches* —3C **16**
Etna Rd. *Buck* —3E **20**
Ettrick Pk. *Ches* —6C **16**
Eurgain Av. *Con Q* —2E **10**
Evansleigh Dri. *Dee* —5E **12**
Evans St. *Flint* —1C **2**
Eversley Ct. *Ches* —4J **15**
Eversley Pk. *Ches* —4J **15**
Ewart St. *Salt F* —2B **24**
Ewloe Barns Ind. Est. *Nor H* —7D **10**
Ewloe Pl. *Buck* —2D **20**
Exeter Pl. *Blac* —3F **15**
Exton Pk. *Ches* —5J **15** (1A **28**)

Factory Pool La. *Mold* —3D **18**
Factory Rd. *Sand* —4C **12**
Fairfield Rd. *Brou* —5F **23**
Fairfield Rd. *Buck* —4H **21**
Fairfield Rd. *Ches* —4C **16**
Fairfield Rd. *Dee* —3B **12**
Fairford Rd. *Ches* —3F **25**
Fairholme Clo. *Saug* —6B **6**
Fairoaks Dri. *Con Q* —2E **10**
Fairway. *Sand* —6E **12**
Fairway Clo. *Con Q* —3F **11**
Farbailey Clo. *Ches* —4H **25**
Farfield Av. *Con Q* —1G **11**
Farm Clo. *Buck* —5D **20**
Farm Dri. *Con Q* —6E **2**
Farmfield Clo. *Dee* —3K **11**
Farm Rd. *Buck* —6C **20**
Farm Rd. *Dee & Gard C* —1C **12**
Farndon Clo. *Brou* —5G **23**
Faulkner's La. *Chris* —1F **27**
Faulkner St. *Hoole* —5B **16**
Feathers La. *Ches* —7K **15** (5C **28**)
Feathers Lea. Flint —1C 2 (off Feathers St.)
Feathers St. *Flint* —1C **2**
Fedwen Arian. *Penym* —7J **21**
Feilden Ct. *Moll* —6F **7**
Fern Clo. *Flint* —3B **2**
Fern Ct. Dee —7F 3 (off Church St.)
Fern Gro. *Dee* —5J **11**
Fernhill Rd. *Blac* —2E **14**
Fernside Rd. *Dee* —4J **11**
Ferry Bank. *Dee* —2C **12**
Ferry Clo. *Dee* —2E **12**
Ferry La. *High F* —1B **24**
Ffordd Argoed. *Mold* —4G **19**
Ffordd Brenig. *Bryn B* —4A **20**
Ffordd Brigog. *M Isa* —4A **20**
Ffordd Bryn Estyn. *Mold* —5D **18**
Ffordd Cae Llwyn. *Con Q* —3E **10**
Ffordd Celyn. *Syc* —1B **18**
Ffordd Dawel. *Syc* —2A **18**
Ffordd Dol Goed. *Mold* —6E **18**
Ffordd Edwin. *Nor* —2A **10**
Ffordd Eldon. *Syc* —1B **18**
Ffordd Fer. *M Isa* —4K **19**
Ffordd Ffynnon. *Dee* —1H **21**
Ffordd Ganol. *Syc* —2B **18**
Ffordd Glyn. *Mold* —6D **18**
Ffordd Glyndwr. *Flint* —3D **2**
Ffordd Glyndwr. *Nor* —2A **10**
Ffordd Gwynedd. *Nor* —2A **10**
Ffordd Hengoed. *Mold* —6E **18**
Ffordd Las. *Syc* —2B **18**
Ffordd Llanarth. *Con Q* —1E **10**
Ffordd Llewelyn. *Flint* —3D **2**
Ffordd Mellion. *Con Q* —3E **10**
Ffordd Newydd. *Con Q* —3E **10**
Ffordd Newydd. *Mold* —6D **18**
Ffordd Offa. *M Isa* —5K **19**
Ffordd Ogwen. *Bryn B* —4A **20**
Ffordd Owen. *Nor* —1A **10**
Ffordd Pel-y-Dryn. *Dee* —1H **21**
Ffordd Pennant. *Mold* —3E **18**
Ffordd Pentre. *Mold* —5G **19**
Ffordd Tegid. *Ewloe* —1G **21**
Ffordd Tirion. *Syc* —2B **18**
Ffordd Trem y Foel. *Mold* —6E **18**
Ffordd y Fran. *Flint* —4D **2**
Fiddlers La. *Saug* —5B **6**
Field Clo. *Flint* —3B **2**
Fld. Farm La. *Buck* —3C **20**
Fld. Farm Rd. *Buck* —3C **20**
Field Pk. *Dee* —4E **10**
Fieldside. *Haw* —7A **12**
Field Vw. *Man* —5C **12**
Fieldway. *Ches* —4A **16**
Fieldway. *Saug* —5A **6**
Fifth Av. *Flint* —3C **2**
Filkin's La. *Ches* —7C **16**
Finchett Dri. *Ches* —5H **15**
Firbeck Clo. *Brou* —6F **23**
Fir Brook Av. *Con Q* —1H **11**
Firbrook Av. *Haw* —6A **12**
Firemans Sq. *Ches* —3B **28**
Fir Gro. *Mold* —4E **18**
First Av. *Dee I* —5D **4**
First Av. *Flint* —3C **2**
Firs, The. *Mold* —6G **19**
Fir Tree Av. *Ches* —4H **25**
Fir Tree La. *L'ton* —7G **17**
Fisherman's Rd. *Con Q* —7H **3**
Fisher Rd. *Blac* —4E **14**
Five Ashes Rd. *Ches* —4G **25**
Flag La. N. *Upton* —7A **8**
Flag La. S. *Ches* —7A **8**
Flaxmere Dri. *Ches* —1D **26**
Fletcher's Bldgs. *Ches* —5C **28**
Flint Rd. *Salt F* —7J **13**
Flintshire Retail Cen. *Flint* —1B **2**
Florita Clo. *Dee* —7E **2**
Foregate St. *Ches* —4D **28**
Forest Dri. *Brou* —6F **23**
Forest St. *Ches* —7A **16** (4E **28**)
Forge Way. *Ches* —5F **25**
Forth Av. *Flint* —3C **2**
Forum Shop. Cen. *Ches* —7J **15** (4B **28**)
Forum, The. *Ches* —7J **15** (4B **28**)
Fourth Av. *Dee I* —6C **4**
Fowler Rd. *Blac* —4D **14**
Foxcote Clo. *Blac* —3D **14**
Fox Cover. *Guil S* —3H **17**
Fox Covert La. *Pic* —5C **8**
Foxes Clo. *Dee* —5C **12**
Foxes La. *All* —3C **20**
Foxes Wlk. *Ches* —2C **26**
Foxglove Clo. *Hunt* —3C **26**
Fox La. *Wav* —4K **27**
Fox Lea. *Saug* —7A **6**
Fox's La. *Gard C* —2D **12**
Foxwist Clo. *Ches* —5K **15** (1C **28**)
Francis Ct. *Ches* —6A **16**
Francis St. *Ches* —6A **16** (2E **28**)
Fraser Ct. *Ches* —2K **25**
Fraser Dri. *Buck* —5C **20**
Friars Ct. *Haw* —1A **22**
Friars Ga. *Ches* —5B **28**
Frodsham Row. *Ches* —3C **28**
Frodsham Shop. Mall. *Ches* —3D **28**
Frodsham Sq. *Ches* —4D **28**
Frodsham St. *Ches* —3C **28**
Fron Heulog. *Haw* —7H **11**
Fron Rd. *Con Q* —2H **11**
Furne Rd. *Blac* —4E **14**

Gainford Av. *Dee* —1F **11**
Gala Clo. *Brou* —6G **23**
Gamul Pl. *Ches* —1K **25** (6C **28**)
Gamul Ter. Ches —1K 25 (6C 28) (off Lwr. Bridge St.)
Gardd Eithin. *Nor H* —4C **10**
Gardd yr Gwannwyn. *Nor H* —4C **10**
Garden Ct. *Ches* —6J **15** (3B **28**)
Garden La. *Ches* —5H **15** (1A **28**)
Garden Ter. *Ches* (CH1) —6J **15** (2A **28**)
Garden Ter. *Ches* —6B **16** (CH3)
Garden Way. *Dee* —2J **11**
Garratt Clo. *Dee* —1G **11**
Garth Dri. *Ches* —3J **15**
Garth Ganol. *Flint* —4D **2**
Garthorpe Av. *Dee* —7G **3**
Garthorpe Clo. *Dee* —7G **3**
Gas La. *Mold* —5F **19**
Gatesheath Dri. *Upton* —1A **16**
Gawer Pk. *Ches* —4J **15**
Gaymoore Clo. *Ches* —5J **15** (1B **28**)
Gayton Clo. *Ches* —3A **16**
Gayton Clo. *Dee* —2F **11**
Gee's Ct. *Ches* —7B **16**
George Kenyon M. *Salt* —3E **24**
George St. *Ches* —6J **15** (3B **28**)
Gerrards Av. *Ches* —7C **16**
Ger-y-Llan. *G'nydd* —7B **18**
Gladstone Av. *Ches* —6H **15**
Gladstone Rd. *Brou* —6F **23**
Gladstone Rd. *Ches* —5H **15**
Gladstone Rd. *Mold* —5F **19**
Gladstone St. *Queen* —3B **12**
Gladstone St. *Shot* —2J **11**
Gladstone Ter. *Dee* —5D **12**
Gladstone Way. *Haw & Queen* —1A **22**
Glamis Clo. *Ches* —6C **16**
Glan Aber Dri. *Ches* —2F **25**
Glan Aber Pk. *Ches* —2G **25**
Glan Alun. *Mold* —6F **19**
Glan Gors. *Flint* —4D **2**
Glanrafon Rd. *Mold* —5F **19**
Glan y Morfa. *Con Q* —1H **11**
Glan yr Eglwys. *Nor* —1A **10**
Glastonbury Av. *Ches* —1B **16**
Glebe Meadows. *Mick T* —6H **9**
Gleggs Clo. *Ches* —2D **26**
Glendale Av. *Dee* —5D **12**
Gleneagles Clo. *Ches* —5D **16**
Glenesk Ct. *Sea* —2D **12**
Glenside Clo. *Blac* —3D **14**
Glen, The. *Blac* —3E **14**
Globe Way. *Buck* —2F **21**
Gloucester Av. *Dee* —2K **11**
Gloucester St. *Ches* —5K **15** (1C **28**)
Glovers Loom. *Ches* —2D **26**
Gloverstone Ct. *Ches* —1K **25** (6C **28**)
Glyndwr Ct. *Mold* —6G **19**
Glyndwr Rd. *G'nydd* —7A **18**
Glyn Gth. *Blac* —5D **14**
Glynnedale Pk. *Dee* —7J **11**
Glynne St. *Con Q* —1H **11**
Glynne St. *Queen* —3B **12**
Glynne Way. *Haw* —1B **22**
Glynteg. *Mold* —6F **19**
Godre'r Coed. *G'nydd* —7B **18**
Godre'r Mynydd. *G'nydd* —7C **18**
Godstall La. *Ches* —4C **28**
Golftyn Dri. *Con Q* —6E **2**

Golftyn La. *Dee* —6E **2**
Golftyn La. *Nor* —1C **10**
Gonsley Clo. *Ches*
　　　　　—5K **15** (1C **28**)
Goodwood Clo. *Ches* —6H **15**
Goodwood Gro. *Nor H* —4C **10**
Gordon La. *Back* —2H **7**
Gordon Rd. *Blac* —4D **14**
Gornel Av. *Dee* —1G **11**
Gorse Clo. *Penym* —7K **21**
Gorse Stacks. *Ches*
　　　　　—6K **15** (3C **28**)
Gorse Way. *Hunt* —4C **26**
Gosforth Pl. *Ches* —5B **16**
Gosmore Rd. *New B* —2J **19**
Goss St. *Ches* —7J **15** (4B **28**)
Gowy Rd. *Mick T* —6H **9**
Goya Clo. *Con Q* —7E **2**
Grafton M. *Ches* —5K **15** (1C **28**)
Graham Rd. *Blac* —4E **14**
Granby Ct. *Dee* —2F **11**
Grange Rd. *Ches* —4K **15**
Grange Rd. *Dee* —4K **11**
Grange Rd. *Vic X* —6E **16**
Grange Rd. W. *Vic X* —7D **16**
Grangeside. *Ches* —4K **15**
Granston Clo. *Nor H* —4D **10**
Grant Dri. *Ewloe* —6J **11**
Granville Rd. *Ches* —5H **15**
Grasmere Clo. *Con Q* —1E **10**
Grasmere Cres. *Buck* —3E **20**
Grasmere Rd. *Ches* —3B **16**
Grays Rd. *M Isa* —4K **19**
Greenacre Ct. *Upton* —6B **8**
Greenacre Rd. *Ches* —5F **25**
Green Bank. *Ches* —4K **25**
Greenbank Dri. *Flint* —3A **2**
Greenbank Rd. *Ches* —4C **16**
Greenbank Rd. *Dee* —3J **11**
Greenfield Cres. *Ches* —3D **16**
Greenfield Cres. *Wav* —3K **27**
Greenfield La. *Ches* —3D **16**
Greenfield Rd. *Brou* —5G **23**
Greenfield Rd. *Wav* —4K **27**
Greenfields. *Ches* —6B **8**
Greenfields La. *Row* —4H **27**
Greenhill Av. *Dee* —7J **11**
Green La. *Guil S & Cot E*
　　　　　—6K **17**
Green La. *Haw* —7E **10**
Green La. *Lache* —4E **24**
Green La. *Pic* —6D **8**
Green La. *Saug* —1C **14**
Green La. *Sea* —5F **5**
Green La. *Shot* —3K **11**
Green La. *Vic X* —6D **16**
Green La. W. *Sea* —4F **5**
Green Meadows. *Haw* —1J **21**
Green Pk. *Dee* —1H **11**
Green Pk. *Penyf* —7J **21**
Greenside. *Mold* —5E **18**
Greensway. *Ches* —2G **15**
Green, The. *Nor* —2A **10**
Greenville Av. *Dee* —6G **11**
Green Way. *Saug* —6A **6**
Greenway St. *Hand*
　　　　　—1K **25** (7C **28**)
Greenwood Av. *Ches* —2K **25**
Gresford Av. *Ches* —5A **16**
Grey Clo. *Ewloe* —1G **21**
Grey Friars. *Ches*
　　　　　—7J **15** (5A **28**)
Greyhound Pk. Rd. *Ches* —6F **15**
Greyhound Retail Pk. *Ches*
　　　　　—5F **15**
Greystone Rd. *Ches* —7E **16**
Griffin Bank. *Ches* —2K **25**
Griffin Clo. *Ches* —2F **15**
Griffiths Ct. *Shot* —3J **11**
Grindley Bank La. *Mick T* —7H **9**
Groomscroft. *Haw* —1K **21**

Groomsdale La. *Haw* —1K **21**
Grosvenor Ct. *Ches*
　　　　　—7A **16** (4E **28**)
Grosvenor Ct. *Lache* —5F **25**
Grosvenor Dri. *Buck* —4D **20**
Grosvenor Pk. Rd. *Ches*
　　　　　—7A **16** (4E **28**)
Grosvenor Pk. Ter. *Ches*
　　　　　—7A **16** (5E **28**)
Grosvenor Pl. *Ches*
　　　　　—1K **25** (6C **28**)
Grosvenor Rd. *Ches*
　　　　　—2J **25** (7A **28**)
Grosvenor Rd. *Dee* —3K **11**
Grosvenor Shop. Cen. *Ches*
　　　　　—7K **15** (5C **28**)
Grosvenor St. *Ches*
　　　　　—1J **25** (6B **28**)
Grosvenor St. *Mold* —5F **19**
Grove Av. *Ches* —5D **16**
Grove Gdns. *L'ton* —6G **17**
Grove Rd. *Moll* —2D **6**
Groves, The. *Ches* —6D **28**
Groves, The. *Dee* —1J **11**
Groves, The. *Nor H* —4B **10**
Guilden Grn. *Guil S* —4G **17**
Guilden Sutton La. *Guil S*
　　　　　—4E **16**
Guildford Clo. *Ches* —3F **25**
Guy La. *Wav* —4K **27**
Gwel y Mynydd. *Buck* —4C **20**
Gwernaffield Rd. *Mold* —3D **18**
Gwylan Av. *Dee* —7G **3**
Gwynedd Dri. *Flint* —2C **2**
Gypsy La. *Moll* —5F **7**

Hadfield Clo. *Dee* —3F **11**
Hadrian Dri. *Blac* —2E **14**
Hafan Deg. *Mold* —6E **18**
Hafan Glyd. *Shot* —3K **11**
Hafod. *Flint* —2B **2**
Hafod Clo. *Blac* —5D **14**
Hafod Clo. *Con Q* —6E **2**
Hafod Pk. *Dee* —6F **3**
Hafod Pk. *Mold* —5D **18**
Hafod Rd. *G'nydd* —5A **18**
Hafod-y-Wern. *G'nydd* —7B **18**
Halkett Clo. *Salt* —4E **24**
Halkyn Rd. *Ches* —5A **16** (1E **28**)
Halkyn Rd. *Flint* —4B **2**
Halkyn St. *Flint* —2C **2**
Halkyn Vw. *Con Q* —3F **11**
Hallfield Clo. *Flint* —2B **2**
Hall La. *Con Q* —2G **11**
Hallsgreen La. *Wim T* —1H **9**
Hals Clo. *Con Q* —7E **2**
Halton Rd. *Ches* —2B **16**
Hamilton Av. *Dee* —5E **12**
Hamilton Pl. *Ches*
　　　　　—7J **15** (4B **28**)
Hamilton Rd. *Dee* —7F **3**
Hamilton St. *Ches* —5B **16**
Hampton Dri. *Pen* —4C **12**
Hampton Rd. *Ches* —3F **25**
Hancock's La. *Buck* —6C **20**
Handbridge. *Ches*
　　　　　—1K **25** (6C **28**)
Handford Rd. *Ches* —2A **16**
Hankelow Clo. *Ches*
　　　　　—5K **15** (1C **28**)
Hanmer Clo. *Buck* —6E **20**
Harbour Clo. *Upton* —1A **16**
Harding Rd. *Mos* —7H **7**
Harebell Clo. *Hunt* —3C **26**
Hare La. *Guil S* —4E **16**
Harington Clo. *Mos* —6J **7**
Harington Rd. *Mos* —7J **7**
Harlech Av. *Dee* —1F **11**
Harlech Clo. *Buck* —2E **20**
Harrison Gro. *Sand* —5E **12**

Harrowby Rd. *Mold* —4F **19**
Hartford Way. *Ches* —7F **15**
Harthill Rd. *Ches* —2E **14**
Hartington St. *Ches*
　　　　　—2K **25** (7D **28**)
Haslin Cres. *Chris* —2F **27**
Hassals La. *Bri T* —4H **9**
Hatchmere Dri. *Ches* —1D **26**
Hatherton Way. *Ches*
　　　　　—5K **15** (1C **28**)
Hatton Rd. *Ches* —3E **14**
Haulfryn. *Syc* —2A **18**
Hawarden Dri. *Buck* —4H **21**
Hawarden Ind. Pk. *Haw* —3F **23**
Hawarden Rd. *Penym* —7J **21**
Hawarden Way. *Man* —6B **12**
Hawker Clo. *Brou* —5G **23**
Hawkesbury Rd. *Buck* —4D **20**
Hawklane Clo. *Con Q* —2E **10**
Hawthorn Av. *Mold* —4E **18**
Hawthorn Clo. *Dee* —5K **11**
Hawthorne Av. *Buck* —5E **20**
Hawthorne Av. *Dee* —1F **11**
Hawthorne Vw. *Dee* —1E **12**
Hawthorn Rd. *Ches* —4F **25**
Hawthorn Rd. *Chris* —2G **27**
Haydock Clo. *Ches* —6H **15**
Haydon Way. *Dee* —2D **12**
Hayes Pk. *Ches* —5J **15**
Haygarth Heights. *Ches* —3E **28**
Haymakers Clo. *Ches* —5F **25**
Haymaker Way. *Saug* —7A **6**
Hazel Ct. *Flint* —3A **2**
Hazel Gro. *Mold* —4E **18**
Hazel Rd. *Ches* —4F **25**
Hazelwood Cres. *Dee* —2H **21**
Headlands, The. *Ches* —4E **28**
Health St. *Shot* —2K **11**
Heath Bank. *Guil S* —3F **17**
Heath Clo. *Ches* —1D **26**
Heathcote Clo. *Ches* —5J **15**
Heather Ct. *Gt Bou* —1C **26**
Heathfields Clo. *Ches* —5K **15**
Heath La. *Gt Bou* —1C **26**
Heath La. *Stoak* —1K **7**
　(in two parts)
Heath Rd. *Upton* —1K **15**
Heath Ter. *Ches* —7A **8**
Heinzel Pk. *Flint* —1B **2**
Henblas. *Mold* —5E **18**
Hendy Rd. *G'nydd & Mold*
　　　　　—5C **18**
Henffordd. *Mold* —4F **19**
Henley Av. *Dee* —2H **11**
Henley Rd. *Ches* —3F **25**
Henrietta St. *Dee* —2K **11**
Henry Pl. *Ches* —6K **15** (2C **28**)
Henry Taylor St. *Flint* —1D **2**
Henry Wood Ct. *Salt* —3E **24**
Henshall St. *Ches*
　　　　　—5J **15** (1A **28**)
Heol Fammau. *M Isa* —3K **19**
Heol-y-Bryn. *Flint* —4D **2**
Heol-y-Wern. *G'nydd* —7B **18**
Hereford Pl. *Blac* —3G **15**
Hereward Rd. *Ches* —7C **16**
Heritage Ct. *Ches*
　　　　　—1K **25** (6C **28**)
Hermitage Ct. *Saug* —7A **6**
Hermitage Rd. *Saug* —7A **6**
Heron Clo. *Brou* —5F **23**
Heron Pl. *Ches* —1C **26**
Herons Way. *Ches B* —6H **25**
Hewitt's La. *Buck* —5C **20**
Hewitt St. *Ches* —5B **16**
Heywoods, The. *Ches* —4J **15**
Hickmore Heys. *Guil S* —4H **17**
Highcliffe Av. *Ches* —4H **15**
Highcroft. *Shot* —3J **11**
Highcroft, The. *Con Q* —2E **10**
Higher Clo. *Con Q* —1E **10**

Higher Comn. Clo. *Buck* —3E **20**
Higher Comn. Rd. *Buck* —3E **20**
Higher Comn. Way. *Buck*
　　　　　—3E **20**
Higher Ferry. *Ches* —1B **24**
Highfield. *Haw* —1A **22**
Highfield Av. *M Isa* —4A **20**
Highfield Dri. *Buck* —6E **20**
Highfield Rd. *Blac* —3D **14**
Highfield Vs. *Mold* —6F **19**
Highland Av. *Dee* —4J **11**
Highmere Dri. *Dee* —1E **10**
High Pk. *Haw* —7A **12**
High St. *Con Q* —7G **3**
High St. *Mold* —4F **19**
High St. *Nor* —2A **10**
High St. *Salt* —3D **24**
Highvale. *Con Q* —1E **10**
Highway, The. *Haw* —6H **11**
Hilary Clo. *Ches* —7D **16**
Hilbre Rd. *Dee* —7F **3**
Hillary Gro. *Buck* —5D **20**
Hillfield Rd. *Haw* —5K **11**
Hilliards Ct. *Ches B* —6H **25**
Hill Rd. *Ecc* —7A **26**
Hillsdown Dri. *Con Q* —2E **10**
Hillside. *Haw* —7A **12**
Hillside Av. *Con Q* —1F **11**
Hillside Cres. *Buck* —6D **20**
Hillside Cres. *Mold* —3E **18**
Hillside Rd. *Blac* —4E **14**
Hillside Way. *Flint* —3B **2**
Hills La. *Flint* —1C **2**
　(off Coleshill St.)
Hillsview Rd. *Buck* —5D **20**
Hilltop Clo. *Ewloe* —6G **11**
Hilltop Rd. *Guil S* —3H **17**
Hill Vw. *Bryn B* —3K **19**
Hobart Way. *Ches* —4D **14**
Hob La. *Wim T & Hel* —1J **9**
Holbein Clo. *Ches* —3K **25**
Holkholm, The. *Ches* —7D **16**
Hollies, The. *Buck* —3E **20**
Hollins La. *Haw* —2H **21**
Hollowbrook Dri. *Con Q* —2E **10**
Holly Clo. *Con Q* —6E **2**
Holly Clo. *Mick T* —7H **9**
Holly Ct. *Dee* —7F **3**
　(off Church St.)
Holly Dri. *Mold* —4E **18**
Holly Grange. *Con Q* —1E **10**
Holly Gro. *Dee* —5K **11**
Holly Rd. *Ches* —4F **25**
Holyrood Way. *Ches* —6D **16**
Holywell Rd. *Ewloe* —5F **11**
Holywell Rd. *Flint* —1C **2**
Holywell Rd. *Nor* —1A **10**
Holywell St. *Flint* —1C **2**
Home Clo. *Chris* —2G **27**
Home Pk. *Moll* —6F **7**
Honeysuckle Clo. *Brou* —6G **23**
Hoole Gdns. *Ches* —5D **16**
Hoole Ho. *Ches* —4D **16**
Hoole La. *Ches* —6B **16**
Hoole Rd. *Ches* —5A **16**
Hoole Way. *Ches*
　　　　　—6K **15** (2D **28**)
Hope Rd. *Brou* —6F **23**
Hope St. *Ches* —3F **25**
Hornbeam Clo. *Ches* —5D **16**
Horneseby Clo. *Dee* —7E **2**
Horrocks Rd. *Ches* —3A **16**
Hough Grn. *Ches* —2F **25**
Housesteads Dri. *Hoole* —5B **16**
Housman Clo. *Blac* —3G **15**
Howard Rd. *Salt* —3D **24**
Howard St. *Con Q* —1H **11**
Howe Rd. *Ches* —2H **25**
Hugh St. *Hand* —2K **25**
Hulleys Clo. *Penym* —7K **21**
Hunter St. *Ches* —7J **15** (4B **28**)

Hunter's Wlk. *Ches*
—7J **15** (4B **28**)
Hunts Clo. *Ches* —7D **16**
Hurlbutts Dri. *Dee* —3A **12**
Hurlestone Clo. *Mick T* —6H **9**
Hurstwood. *Wav* —5J **27**

Imperial Av. *Blac* —4C **14**
Ince La. *Wim T* —1H **9**
Ingham Clo. *Ches* —7C **16**
Institute La. *Nor H* —4C **10**
Irving's Cres. *Salt* —3E **24**
Isabella Ct. *Salt* —3E **24**
Isabelle Clo. *Con Q* —1G **11**
Iver Clo. *Ches* —1A **16**
Iver Rd. *Ches* —1A **16**
Ivy Ct. *Con Q* —7F **3**
(off Church St.)
Ivy Cres. *Mold* —4E **18**
Ivy M. *Ches* —3C **16**

Jackson Ct. *Haw* —2F **23**
James Pl. *Ches* —6B **16**
James St. *Ches* —6K **15** (2D **28**)
Jamieson Clo. *Ches* —6C **16**
Jasmine Cres. *Mold* —4E **18**
Jefferson Rd. *Ewloe* —6J **11**
Jesmond Rd. *Ches* —6H **15**
Johnsons Clo. *Ches* —4H **25**
Johnson's Ct. *Ches* —7C **28**
Johnson's Ct. *Hand* —1K **25**
Jonathan's Way. *Blac* —3E **14**
Jubilee Ct. *Buck* —5E **20**
Jubilee Rd. *Buck* —5E **20**
Jubilee St. *Shot* —2K **11**
Julius Clo. *Flint* —3E **2**
Juniper Clo. *Con Q* —1E **10**
Jupiter Dri. *Ches* —6E **14**

Kaleyards. *Ches*
—6K **15** (3C **28**)
Kearsley Av. *Haw* —7J **11**
Keats Clo. *Buck* —6E **20**
Keats Clo. *Ewloe* —1G **21**
Keats Ter. *Ches* —3G **15**
Kelsterton Ct. *Con Q* —6E **2**
Kelsterton La. *Nor* —1C **10**
Kelsterton Rd. *Flint* —5D **2**
Keltan Ct. *Salt* —2E **24**
Kelvin Gro. *Ches* —4A **16**
Kempton Ct. *Ches* —6H **15**
Kendal Clo. *Ches* —2C **16**
Kenilworth Ho. *Ches* —3E **28**
Kennedy Clo. *Ches* —3C **16**
Kennedy Dri. *Dee* —6B **12**
Kensington Av. *Dee* —3J **11**
Kensington Clo. *Ches* —3G **25**
Kensington Grn. *Ches* —3F **25**
Kensington Rd. *Ches* —3G **25**
Kenstone Clo. *Mold* —5G **19**
Kent Av. *Dee* —3K **11**
Kent Ho. *Ches* —3B **16**
Kent Rd. *Ches* —3B **16**
Kent Rd. *Con Q* —7F **3**
Keristal Av. *Gt Bou* —2C **26**
Kestrel Clo. *Con Q* —3F **11**
Keswick Clo. *Ches* —3C **16**
Ketland Clo. *Shot* —2A **12**
Ketland Pl. *Shot* —2K **11**
Killins La. *Shot* —3J **11**
Kilmorey Pk. *Ches* —4B **16**
Kilmorey Pk. Av. *Ches* —5A **16**
Kilmorey Pk. Rd. *Ches* —5B **16**
Kiln Clo. *Buck* —4C **20**
Kiln Clo. *Flint* —2C **2**
Kimberley Ter. *Ches* —6B **16**
King Charles Ct. *Ches* —3B **28**
King Edward Dri. *Flint* —3C **2**

King Edward St. *Shot* —2K **11**
Kingfisher Ct. *Ches*
—5K **15** (1C **28**)
King George St. *Shot* —3J **11**
Kings Av. *Flint* —3D **2**
Kings Bldgs. *Ches*
—6J **15** (3B **28**)
Kings Clo. *Ches* —4F **25**
Kings Ct. *Ches* —6J **15** (3B **28**)
Kings Cres. E. *Ches* —7C **16**
Kings Cres. W. *Ches* —7C **16**
Kingsfield Ct. *Ches B* —6J **25**
Kingsley Gdns. *Ches* —1D **26**
Kingsley Rd. *Dee* —1D **26**
Kingsley Rd. *Dee* —1D **12**
Kingsmead. *Ches* —1J **15**
King's Rd. *Con Q* —7F **3**
Kingston Dri. *Con Q* —1F **11**
King St. *Ches* —6J **15** (3B **28**)
King St. *Mold* —4F **19**
Kingsway. *Ches* —4B **16**
Kingsway W. *Ches* —4A **16**
Kingswood Av. *Saug* —6C **6**
Kingswood La. *Saug* —6C **6**
(in three parts)
Kinnerton Clo. *Salt* —4D **24**
Kinnerton La. *High K* —7B **22**
Kinnerton Old Rd. *Dob* —5A **22**
Kipling Clo. *Ewloe* —1G **21**
Kipling Rd. *Ches* —3F **15**
Kirby Clo. *Ches* —3K **15**
Kirkwood Clo. *Ches* —6C **16**
Kitchen St. *Ches*
—7H **15** (4A **28**)
Knightsbridge Ct. *Ches*
—7A **16** (5E **28**)
Knights Grn. *Ches* —2C **2**
Knowle La. *Buck* —4E **20**
Knowsley Ct. *Ches* —4B **16**
Knowsley Rd. *Ches* —4B **16**
Knutsford Way. *Ches* —6F **15**
Kohima Cres. *Hunt* —4D **26**
Kynaston Dri. *Salt F* —2C **24**

Laburnum Gro. *Salt* —3E **24**
Lache Hall Cres. *Ches* —5F **25**
Lache La. *Ches & Marl L*
—7D **24**
Lache Pk. Av. *Ches* —3G **25**
Lakeside. *Ches B* —7H **25**
(in two parts)
Lakeside Bus. Village. *Dee*
—7G **11**
Lakeside Clo. *Buck* —2D **20**
Lakewood. *Ches B* —7H **25**
Lambs La. *Buck* —5F **21**
Lancaster Dri. *Ches* —6D **16**
Lancaster Pk. *Brou* —6E **22**
Langdale Av. *Buck* —4F **21**
Langford Cres. *Buck* —5B **20**
Langport Dri. *Vic X* —6E **16**
Lansdowne Gro. *Ches* —2G **25**
Lansdowne Rd. *Con Q* —6F **3**
Lansdown Rd. *Brou* —6F **23**
Larch Av. *Shot* —4K **11**
Larches, The. *Dee* —2H **21**
Larchfields. *Saug* —7A **6**
Larch Way. *Salt* —3E **24**
Larkspur Clo. *Ches* —5F **25**
Larne Dri. *Brou* —5H **23**
Laurel Dri. *Buck* —5E **20**
Laurel Gro. *Hoole* —5C **16**
Lavender Ct. *Shot* —2K **11**
Lawn Dri. *Upton* —1K **15**
Lawrence St. *Sand* —5E **12**
Laws Gdns. *Gt Bou* —1C **26**
Law St. *Ches* —5B **16**
Leaches Clo. *Dee* —5C **12**
Leaches La. *Man* —7C **12**

Lea Dri. *Buck* —5E **20**
Leadworks La. *Ches*
—6A **16** (3E **28**)
Leahurst Clo. *Ches* —4B **16**
Leaside Rd. *Ches* —2E **14**
Ledsham La. *Haw* —3J **21**
Leen La. *Ches* —4C **28**
Lee St. *Ches* —6A **16**
Leeswood Rd. *Buck* —5D **20**
Leighstone Ct. *Ches*
—5J **15** (1B **28**)
Leonard St. *Ches* —5H **15**
Lester La. *Bret* —6D **22**
Level Rd. *Haw* —2H **21**
Lexham Grn. Clo. *Buck* —5E **20**
Leyfield Ct. *Ches* —4F **25**
Leyland Dri. *Salt F* —3B **24**
Lichfield Rd. *Ches* —3F **15**
Lightfoot St. *Hoole* —5A **16**
Lime Clo. *Dee* —1E **10**
Lime Gro. *Hoole* —5B **16**
Lime Gro. *Salt* —3D **24**
Lincoln Dri. *Ches* —3C **16**
Lincoln Rd. *Blac* —3F **15**
Lincoln Rd. *Ewloe* —6J **11**
Lindale Clo. *Con Q* —1E **10**
Linden Av. *Dee* —7F **3**
Linden Ct. *Con Q* —7F **3**
Linden Dri. *Mick T* —6H **9**
Linden Dri. *Mold* —6D **18**
Linden Gro. *Ches* —4C **16**
Linden Gro. *Salt* —3D **24**
Linderick Av. *Buck* —4C **20**
Lindum Clo. *New B* —2J **19**
Linen Hall Pl. *Ches*
—7J **15** (5A **28**)
Linksway. *Upton* —1J **15**
Linthorpe Clo. *Buck* —4E **20**
Linthorpe Gdns. *Buck* —5E **20**
Linthorpe Rd. *Buck* —4D **20**
Lit. Abbey Gateway. *Ches*
—6K **15** (3B **28**)
Lit. Heath Rd. *L'ton & Chris*
—7G **17**
Lit. Mountain Rd. *Buck* —6H **21**
Lit. Roodee. *Haw* —2F **23**
Lit. St John St. *Ches*
—7K **15** (5D **28**)
Littleton La. *L'ton* —6G **17**
Liverpool Rd. *Buck* —3D **20**
Liverpool Rd. *Ches*
—5J **15** (1B **28**)
Liverpool Rd. *Dee* —7G **11**
Liverpool Rd. *Haw* —6H **11**
Liverpool Rd. *Mos* —2H **7**
Llandore Clo. *Con Q* —4E **10**
Llanfair Cres. *Con Q* —4E **10**
Llewellyn St. *Shot* —2J **11**
Llewelyn Dri. *Bryn B* —3A **20**
Lllys-y-Wern. *Syc* —2A **18**
Llon yr Orsaf. *Mold* —5G **19**
Lloyd Pl. *Blac* —4E **14**
Lloyds Hill. *Buck* —3G **21**
Lloyd St. *Flint* —1D **2**
Llwyn Bach. *Mold* —6D **18**
Llwyn Derw. *M Isa* —3K **19**
Llwyn Eithin. *Mold* —6E **18**
Llwyni Dri. *Con Q* —4E **10**
Llwynon Clo. *Bryn B* —4A **20**
Llys Alyn. *Con Q* —3E **10**
Llys Ambrose. *Mold* —6D **18**
Llys Argoed. *M Isa* —4J **19**
Llys Ben. *Nor H* —4C **10**
Llys Brenig. *Ewloe* —1G **21**
Llys Bryn Eglwys. *Mold* —4F **19**
Llys Caer. *Brou* —6E **22**
Llys Cae'r Glo. *Syc* —2A **18**
Llys Daniel Owen. *Mold* —3E **18**
Llys Dedwydd. *M Isa* —4K **19**
Llys Derwen. *Mold* —5G **19**
Llys Eithin. *Nor H* —4C **10**

Llys Enfys. *G'nydd* —7A **18**
Llys Fammau. *M Isa* —4K **19**
Llys John Dafis. *Mold* —3F **19**
Llys Mai. *Buck* —4D **20**
Llys Menden. *Mold* —5D **18**
Llys Mervyn. *Mold* —3E **18**
Llys Nercwys. *Mold* —6G **19**
Llys Padarn. *Ewloe* —1G **21**
Llys Pont Garreg. *Mold* —6F **19**
Llys Pont-y-Felin. *Mold* —3F **19**
Llys Preswylfa. *Mold* —5E **18**
Llys Tudela. *Mold* —5D **18**
Llys Wylfa. *M Isa* —4K **19**
Llys y Coed. *Mold* —7G **19**
Llys y Foel. *Mold* —6G **19**
Llys-y-Fron. *Mold* —5D **18**
Llys y Nant. *Buck* —6D **20**
Llys-y-Nant. *Mold* —6G **19**
Llys yr Awel. *Mold* —6G **19**
Llys yr Efail. *Mold* —5F **19**
Llys y Wennol. *Nor H* —4C **10**
Lodge La. *Saug* —3J **5**
Lon Cae Del. *Haw* —1H **21**
Lon Cae Del. *Mold* —5D **18**
Lon Celyn. *Con Q* —1F **11**
Lon Dderwen. *Con Q* —1F **11**
London Rd. *Syc* —2A **18**
Longburgh Clo. *Hoole* —5B **16**
Longdale Dri. *Ches* —3C **14**
Longfellow Av. *Ewloe* —1G **21**
Longfield Av. *Ches* —1A **16**
Long La. *Saug* —5B **6**
Long La. *Upton* —7A **8**
Long La. *Wav* —6K **27**
Lon Groes. *Flint* —2B **2**
Lon Gwynant. *Ewloe* —1G **21**
Lon Isaf. *Mold* —5G **19**
Lon Llwyni. *Con Q* —3E **10**
Lon-y-Berth. *Mold* —6D **18**
Lony Parc. *Mold* —6E **18**
Lord St. *Ches* —7B **16**
Lorne St. *Ches* —6J **15** (2A **28**)
Louise St. *Ches* —6H **15** (2A **28**)
Love La. *Mold* —4F **19**
Love St. *Ches* —7K **15** (4D **28**)
Lwr. Aston Hall La. *Haw* —5K **11**
Lwr. Bridge St. *Ches*
—7K **15** (5C **28**)
Lwr. Brook St. *Con Q* —6F **3**
Lwr. Field Rd. *Ches* —4G **25**
Lwr. Mumforth St. *Flint* —1D **2**
Lwr. Park Rd. *Ches*
—1A **26** (6E **28**)
Lwr. Sydney St. *Flint* —1D **2**
Lucerne Clo. *Hunt* —3D **26**
Ludlow Rd. *Blac* —3G **15**
Ludwell Clo. *Ches* —3H **25**
Lumley Pl. *Ches* —7K **15** (5D **28**)
Lumley Rd. *Ches* —4J **15**
Lupin Dri. *Hunt* —3D **26**
Lyme Gro. *Buck* —5F **21**
Lynfield Clo. *Dee* —1F **11**
Lynton Clo. *Ches* —4J **15**
Lynton Pl. *Brou* —5F **23**
Lynwood Rd. *Blac* —3E **14**
Lyon St. *Ches* —6K **15** (2D **28**)

Machynlleth Way. *Con Q*
—2E **10**
Madeley Clo. *Brou* —5G **23**
Maelor Clo. *Buck* —6E **20**
Maengwyn Av. *Con Q* —1E **10**
Maes Afon. *Flint* —3B **2**
Maes Alaw. *Flint* —3D **2**
Maes Bodlonfa. *Mold* —5E **18**
Maes Glas. *Flint* —2B **2**
Maes Glas. *Haw* —1H **21**
Maes Gruffydd. *Syc* —2A **18**
Maes Gwalia. *Syc* —2B **18**
Maes Gwern. *Mold* —7E **18**

Maes Gwyn. *Flint* —3D **2**
Maes Hyfryd. *Flint* —3C **2**
Maes Owen. *Mold* —3E **18**
Maes Teg. *Flint* —4C **2**
Maes Uchaf. *Con Q* —4E **10**
Maes Wepre. *Con Q* —3E **10**
Maes-y-Coed. *Flint* —3B **2**
Maes y Dre. *Mold* —4F **19**
Maes-y-Dre Av. *Flint* —3D **2**
Maes y March. *Mold* —4E **18**
Maes yr Haf. *Mold* —5E **18**
Maes yr Haul. *Mold* —6E **18**
Magazine La. *Haw* —6D **10**
Main Rd. *Brou* —6F **23**
  (in two parts)
Main Rd. *New B* —1G **19**
Main Rd. *Syc* —1G **19**
Mainwaring Dri. *Salt F* —2B **24**
Maitland Way. *Blac* —4D **14**
Makepeace Clo. *Ches* —5E **16**
Mallow Clo. *Hunt* —3C **26**
Malta Rd. *Mos* —6H **7**
Malvern Rd. *Blac* —3G **15**
Manbry Clo. *Dee* —1E **10**
Mancot La. *Man* —5B **12**
Mancot Royal Clo. *Dee* —5B **12**
Mancot Way. *Man* —5C **12**
Manley Ct. *Shot* —1K **11**
Mannings La. *Hoole V* —3D **16**
Mannings La. S. *Ches* —3C **16**
Manor Clo. *Dee* —2G **23**
Manor Cres. *Dee* —1G **23**
Manor Dri. *Buck* —5E **20**
Manor Dri. *Gt Bou* —7D **16**
Mnr. Farm Clo. *Mick T* —7H **9**
Mnr. Farm Ct. *haw* —2F **23**
Manor La. *Haw* —3E **22**
Manor La. Ind. Est. *Haw* —2F **23**
Manor Pk. *Syc* —2A **18**
Manor Rd. *Ches* —4H **25**
Manor Rd. *Sea* —2E **12**
Mansfield Av. *Dee* —1H **21**
Maple Cres. *Dee* —2H **21**
Maple Gro. *Hoole* —4D **16**
Maple Gro. *Salt* —4D **24**
Maplewood Gro. *Saug* —7B **6**
Marbury Av. *Buck* —6E **20**
Marbury Rd. *Ches* —6E **16**
Mare Hey La. *Ewloe* —7G **11**
  (in two parts)
Marian. *Flint* —4D **2**
Marian Dri. *Ches* —1D **26**
Marina Dri. *Dee* —2K **11**
Marina Dri. *Upton* —1A **16**
Mark Clo. *Hoole* —6B **16**
Market Sq. *Ches* —4B **28**
Market Sq. *Flint* —1C **2**
Market Way. *Ches* —4B **28**
Marlborough Av. *Dee* —1H **21**
Marl Cft. *Gt Bou* —2D **26**
Marley Way. *Ches* —2E **24**
Marl Heys. *Ches* —1A **16**
Marlow Av. *Ches* —2B **16**
Marlowe Av. *Dee* —2H **11**
Marlowe Clo. *Blac* —3G **15**
Marlow Ter. *Mold* —5F **19**
Marlston Av. *Ches* —3G **25**
Marlwood Pl. *Brou* —6E **22**
Marnel Dri. *Pen* —4C **12**
Marsh La. *Flint* —1D **2**
Marsh Vw. *Con Q* —1J **11**
Martin Clo. *Mos* —7J **7**
Martin Rd. *Mos* —7J **7**
Marton Rd. *Brou* —6G **23**
Masefield Dri. *Ches* —2E **14**
Masonic Pl. *Ches* —1A **16**
Mason St. *Ches* —6J **15** (2B **28**)
Matthew Clo. *Ches* —6B **16**
Maude St. *Con Q* —1H **11**
Maxwell Av. *Man* —5B **12**
Maxwell Clo. *Buck* —4E **20**

Maydor Av. *Salt F* —2C **24**
Mayfield Dri. *Buck* —5B **20**
Mayfield M. *Buck* —4C **20**
Mayfield Rd. *Blac* —3D **14**
Maytree Av. *Ches* —6D **16**
Meadow Av. *Buck* —3G **21**
Meadow-Bank Clo. *Flint* —3B **2**
Meadow Ct. *Moll* —6F **7**
Meadowcroft. *Saug* —6B **6**
Meadow Fld. Rd. *Ches* —4G **25**
Meadow La. *Hunt* —4C **26**
Meadow Pl. *Mold* —5F **19**
Meadow Rd. *Brou* —5F **23**
Meadowside. *Ewloe* —7J **11**
Meadowside. *Mold* —3E **18**
Meadowside M. *Ches* —4H **15**
Meadows La. *Ches*
  —2A **26** (7D **28**)
Meadows La. *Saug* —7A **6**
Meadows Pl. *Ches* —1A **26**
Meadows, The. *Flint* —2C **2**
Meadows, The. *Shot* —3K **11**
Meadowsway. *Ches* —7K **7**
Meadow Vw. *Buck* —6H **21**
Meadow Vw. *Sea* —2E **12**
Mechanics La. *Pen* —4C **12**
Medlar Clo. *Ches* —4F **25**
Meg's La. *Buck* —6D **20**
Melbourne Rd. *Blac* —4C **14**
Melbourne Rd. *Buck* —5C **20**
Melbreck Av. *Haw* —7J **11**
Melford Pl. *Con Q* —4F **11**
Melkridge Clo. *Ches* —5C **16**
Melrose Av. *Ches* —6C **16**
Melrose Av. *Dee* —4K **11**
Melverley Dri. *Blac* —4C **14**
Melverley Gdns. *Man* —6B **12**
Menhuin Ho. *Upton* —3K **15**
Mercer Way. *Ches* —3F **25**
Mercia Dri. *M Isa* —4K **19**
Mercia Sq. *Ches* —4C **28**
Mercury Dri. *Ches* —6E **14**
Merecroft. *Gt Bou* —7C **16**
Merllyn Av. *Con Q* —1F **11**
Merton Dri. *Ches* —5F **25**
Meynell Pl. *Ches* —3G **15**
Micklegate. *Mick T* —7G **9**
Middlecroft. *Guil S* —3G **17**
Midlothian Ho. *Ches* —6J **11**
Milborne Clo. *Ches* —3A **16**
Milford St. *Mold* —4F **19**
  (in two parts)
Millais Clo. *Con Q* —7E **2**
Mill Clo. *Ches* —2K **15**
Mill Cft. *Oak* —3E **2**
Mill Cross. Wav —4K **27**
  (off Eggbridge La.)
Millers Clo. *Wav* —5J **27**
Millfield La. *Saig* —7H **27**
Mill La. *Buck* —4D **20**
Mill La. *Con Q & Dee* —2J **11**
Mill La. *Upton* —3J **15**
Mill St. *Ches* —1K **25** (7D **28**)
Mill Vw. Rd. *Shot* —2J **11**
Millway. *Wav* —4K **27**
Mill Wharf. *Wav* —4K **27**
Milton Rd. *Blac* —2F **15**
Milton St. *Ches* —6K **15** (3D **28**)
Min Awel. *Flint* —4D **2**
Minerva Av. *Ches* —6E **14**
Minfordd Fields. *G'nydd* —7B **18**
Moel Fammau Rd. *New B* —2J **19**
Moel Ganol. *Mold* —5D **18**
Moel Ganol. *M Isa* —4K **19**
Moel Gron. *M Isa* —4K **19**
Moel Vw. Dri. *Nor H* —4B **10**
Moel Vw. Rd. *Buck* —6D **20**
Moel Vw. Rd. *M Isa* —4K **19**
Moelwyn Clo. *Bryn B* —3A **20**
Mold Ind. Est. *Mold* —7G **19**
Mold Rd. *Brou* —6D **22**

Mold Rd. *Ewloe* —7F **11**
Mold Rd. *M Isa* —5H **19**
Mold Rd. *Nor* —2C **10**
Mold Rd. *Queen* —3B **12**
Moldsdale Rd. *Mold* —5G **19**
Mold Way. *Ewloe* —6J **11**
Mollington Ct. *Moll* —6E **6**
Monet Clo. *Con Q* —7E **2**
Montrose Ct. *Ches* —2F **25**
Monza Clo. *Buck* —5B **20**
Monza Clo. *Nor H* —4D **10**
Moor Cft. *New B* —2J **19**
Moorcroft Av. *Ches* —7D **16**
Moorcroft Cres. *Guil S* —4E **16**
Moorefields. *Buck* —5E **20**
Moorfield Ct. *Haw* —5K **11**
Moorfield Rd. *Haw* —6K **11**
Moorhouse Clo. *Ches* —3K **15**
Moorings, The. *Chris* —2G **27**
Moor La. *Haw* —1C **22**
Moor La. *Row & Wav* —4J **27**
Morgan Clo. *Blac* —2F **15**
Morley Av. *Dee* —2G **11**
Morley Clo. *Mick T* —7H **9**
Mornington Cres. *Buck* —4G **21**
Mortlake Cres. *Ches* —7C **16**
Morton Rd. *Blac* —4E **14**
Moss Bank. *Ches* —4J **15**
Moss Gro. *Salt* —3E **24**
Mossley Ct. *Haw* —1A **22**
Moston Rd. *Upton* —6J **7**
Mostyn Pl. *Ches* —2E **14**
Mostyn St. *Shot* —2K **11**
Mountain Vw. *Salt* —3E **24**
Mountain Vw. Av. *M Isa* —4A **20**
Mountain Vw. Clo. *Dee* —4F **11**
Mount Clo. *M Isa* —5K **19**
Mountfield Rd. *Haw* —5K **11**
Mount Pl. *Ches* —6B **16**
Mount Pleasant. *Salt* —2F **25**
Mt. Pleasant Av. *Flint* —3C **2**
Mt. Pleasant Rd. *Buck* —3F **21**
Mt. Tabor Clo. *Penym* —7K **21**
Mount, The. *Ches* —7B **16**
Mount Wlk. Flint —2C **2**
  (off Duke St.)
Mountway. *Wav* —5J **27**
Muirfield Rd. *Buck* —4C **20**
Muir Rd. *Ches* —5E **14**
Mumforth Wlk. Flint —2C **2**
  (off Duke St.)
Music Hall Pas. *Ches*
  —7K **15** (4C **28**)
Muspratt Wlk. Flint —2C **2**
  (off Sydney St.)
Myrica Gro. *Ches* —5D **16**
Myrtle Gro. *Ches* —5D **16**
Myrtle Rd. *Buck* —4B **20**

Nant Derw. *Mold* —5D **18**
Nant Garmon. *Mold* —5E **18**
Nant Glyn. *Buck* —6D **20**
Nant Mawr Ct. Buck —6C **20**
  (off Nant Mawr Rd.)
Nant Mawr Cres. *Buck* —5C **20**
Nant Mawr Rd. *Buck* —5C **20**
Nant Peris. *Blac* —5D **14**
Nant Rd. *Dee* —7F **3**
Naomi Clo. *Ches* —3D **14**
Napier Rd. *Mos* —7J **7**
Nefyn Clo. *Con Q* —1E **10**
Nelson St. *Ches* —6A **16** (2E **28**)
Nelson St. *Shot* —2K **11**
Neston Dri. *Ches* —3K **15**
Neville Dri. *Ches* —7D **16**
Neville Rd. *Ches* —7D **16**
Nevin Rd. *Blac* —5D **14**
New Brighton Rd. *Syc & New B*
  —2B **18**
Newbury Rd. *Ches* —3F **25**

Newbery Wlk. *Con Q* —7E **2**
New Crane Bank. *Ches* —7H **15**
New Crane St. *Ches*
  —6H **15** (4A **28**)
Newcroft. *Saug* —5B **6**
Newgate Row. *Ches*
  —7K **15** (4C **28**)
Newgate St. *Ches*
  —7K **15** (5C **28**)
Newgate Wlk. *Ches* —5C **28**
Newgate Way. *Ches* —7K **15**
Newhall Ct. *Ches* —2A **16**
Newhall La. *Ches* —2A **16**
Newhall Rd. *Ches* —2A **16**
New Pk. Rd. *Dee* —4J **11**
New Rd. *Haw* —5K **21**
New Roskell Sq. *Flint* —1D **2**
Newry Ct. *Ches* —4K **15**
Newry Pk. *Ches* —4K **15**
Newry Pk. E. *Ches* —4K **15**
New St. *Dee* —1H **11**
New St. *Mold* —5F **19**
Newthorn Pl. *Buck* —5D **20**
Newton Clo. *Nor H* —4B **10**
Newton Dri. *Buck* —4H **21**
Newton Hall Ct. *Ches* —3B **16**
Newton Hall Dri. *Ches* —3B **16**
Newton Hollows. *Ches* —4B **16**
Newton Ho. *Ches* —3B **16**
Newton La. *Ches* —3A **16**
Newton Pk. Vw. *Ches* —4K **15**
Newtown Clo. *Ches*
  —6K **15** (2D **28**)
New Union St. *Con Q* —7F **3**
Nicholas Ct. *Ches*
  —7J **15** (5A **28**)
Nicholas St. *Ches*
  —7J **15** (5B **28**)
Nicholas St. M. *Ches*
  —7J **15** (5A **28**)
Nickolson Clo. *Mick T* —7H **9**
Nield Ct. *Ches* —1K **15**
Noel Pk. *Flint* —4D **2**
Nook, The. *Dee* —6B **12**
Nook, The. *Guil S* —4E **16**
Nook, The. *New* —4A **16**
Nook, The. *Salt* —3E **24**
Norfolk Rd. *Ches* —4B **16**
Norley Dri. *Ches* —7E **16**
Normanby Dri. *Dee* —2F **11**
Normandy Rd. *Mos* —6J **7**
Norman St. *Shot* —4K **11**
Norman Way. *Blac* —3E **14**
Norris Rd. *Blac* —3E **14**
Northern Pathway. *Ches*
  —1A **26** (7E **28**)
Northgate Av. *Ches*
  —5K **15** (1C **28**)
Northgate Row. *Ches* —4B **28**
Northgate St. *Ches*
  —6J **15** (3B **28**)
North Grn. *Sea* —2E **12**
Northop Rd. *Flint* —4C **2**
Northop Rd. *Nor* —2A **10**
Northop Rd. *Syc* —1A **18**
North St. *Ches* —7C **16**
North St. *Salt F* —2B **24**
North St. *Sand* —5E **12**
North St. *Shot* —3K **11**
Northway. *Ches* —2G **25**
Norton Av. *Salt* —3D **24**
Norton Rd. *Vic X* —6E **16**
Norwood Dri. *Ches* —3H **25**
Nuns Rd. *Ches* —7J **15** (5A **28**)

Oak Bank La. *Hoole V* —1E **16**
Oak Clo. *Con Q* —7F **3**
Oakdale Clo. *Brou* —6F **23**
Oak Dri. *Buck* —2D **20**
Oakenholt La. *Flint* —5A **2**

Oakfield Av. *Ches* —7A **8**
Oakfield Dri. *Upton* —7A **8**
Oakfield Rd. *Blac* —4C **14**
Oakfield Rd. *Buck* —5E **20**
Oakfield Rd. *Dee* —7J **11**
Oaklands. *Guil S* —3G **17**
Oak La. *Hoole V* —2E **16**
Oaklea Av. *Ches* —4B **16**
Oakley Rd. *Dee* —6C **12**
Oakmere Dri. *Ches* —2D **26**
Oak Rd. *Ches* —3F **25**
Oaks Dri. *Ches* —1K **15**
Oaks, The. *Dee* —2H **21**
Oaktree Bus. Pk. *Mold* —7H **19**
Oak Tree Clo. *Buck* —4E **20**
Oak Tree Clo. *Shot* —4J **11**
Oaktree Ct. *Hoole* —5C **16**
Oakwood Clo. *Mold* —3E **18**
Oakwood Vs. *Con Q* —2G **11**
Ochr y Waen. *Buck* —3C **20**
Old Aston Hill. *Dee* —6H **11**
(in two parts)
Old Bank La. *Buck* —6D **20**
Old Chester Rd. *Ewloe* —6H **11**
Oldfield Cres. *Ches* —4F **25**
Oldfield Dri. *Vic X* —6E **16**
Oldfield M. *Vic X* —6E **16**
Old Hall Gdns. *Ches* —5A **16**
Old Hall Pk. *Guil S* —3H **17**
Old Hall Pl. *Ches* —7J **15** (5B **28**)
Old Hall Rd. *Dee* —7J **11**
Old Hope Rd. *Penym* —5K **21**
Old London Rd. *Flint* —1A **2**
Old Mill Ct. *Upton* —2K **15**
Old Pearl La. *Ches* —6D **16**
Old Post Office Yd. *Ches* —4C **28**
Old Sealand Rd. *Sea* —2J **13**
Old Seals Way. *Ches* —5G **15**
Old Woman's La. *Chris* —2F **27**
Old Wrexham Rd. *Ches* —2J **25**
Onnen. *Flint* —4D **2**
Onslow Rd. *Blac* —4D **14**
Orchard Clo. *Buck* —5D **20**
Orchard Clo. *Ches* —3K **15**
Orchard Clo. *Dee* —5B **12**
Orchard Ct. *Ches* —7C **16**
Orchard Cft. *Guil S* —3G **17**
Orchard Lea. *Ewloe* —7E **10**
Orchards, The. *Dee* —4E **10**
Orchards, The. *Salt* —3D **24**
Orchard St. *Ches* —6H **15** (2A **28**)
Orchard Way. *Mold* —3E **18**
Orchard Way. Sea —*1D* ***12***
(off Welsh Rd.)
Orchid Clo. *Hunt* —3D **26**
Ormonde Rd. *Ches* —4J **15**
Ormonde St. *Ches* —6A **16** (2E **28**)
Oulton Av. *Upton* —1A **16**
Oulton Pl. *Ches* —6K **15** (3C **28**)
Overdale Av. *M Isa* —5A **20**
Overlea Cres. *Haw* —6A **12**
Overlea Dri. *Haw* —6A **12**
Overleigh Ct. *Ches* —2K **25**
Overleigh Dri. *Buck* —4B **20**
Overleigh Dri. *Ecc* —7K **25**
Overleigh Rd. *Ches* —2J **25** (7C **28**)
Overleigh Ter. *Hand* —2J **25** (7B **28**)
Overton Clo. *Buck* —5E **20**
Overwood Av. *Moll* —6E **6**
Overwood La. *Blac* —4C **14**
Overwood La. *Moll* —6D **6**
Owen Clo. *Ches* —2E **14**
Oxford Rd. *Ches* —3F **25**

Padarn Clo. *Salt* —4D **24**
Paddock Rd. *Ecc* —7A **26**
Paddock Row. *Ches* —7K **15** (5C **28**)
Paddock, The. *Ches* —2H **25**
Paddock, The. *Man* —6B **12**
Paddock Way. *G'nydd* —7B **18**
Padeswood Dri. *Buck* —7G **21**
Padeswood Rd. *Buck* —5D **20**
Padeswood Rd. S. *Pade* —7C **20**
Palace Clo. *Flint* —2A **2**
Palatine Clo. *Ches* —2D **14**
Palgrave Clo. *Blac* —3G **15**
Palmerston Cres. *Haw* —1H **21**
Palmerstone Clo. *Ches* —4H **15**
Pant Glas. *Syc* —2A **18**
Pant Isa. *Syc* —2A **18**
Panton Pl. *Hoole* —5B **16**
Panton Rd. *Hoole* —5B **16**
Pant Ucha. *Syc* —2A **18**
Pant y Fownog Dri. *M Isa* —5B **20**
Paper Mill La. *Oak* —5A **2**
Parade, The. *Blac* —3E **14**
Paradise. *Ches* —1K **25** (7D **28**)
Paradise La. *Haw* —1G **21**
Parc Alum. *Mold* —4G **19**
Parc Bryn Castell. *Con Q* —4E **10**
Parc Hendy. *Mold* —5D **18**
Park Av. *Bryn B* —4K **19**
Park Av. *Flint* —2D **2**
Park Av. *Haw* —6B **12**
Park Av. *Mold* —4E **18**
Park Av. *Salt* —3E **24**
Park Av. *Saug* —5A **6**
Park Av. *Shot* —2A **12**
Park Dri. *Ches & Hoole* —4C **16**
Park Dri. S. *Ches* —4C **16**
Parkers Bldgs. *Ches* —7A **16** (3E **28**)
Parker's Yd. *Ches* —6C **28**
Parkfield Rd. *Brou* —6G **23**
Parkgate Ct. *Ches* —4H **15**
Parkgate Rd. *Ches* —4H **15** (1A **28**)
Parkgate Rd. *Wood & Moll* —1K **5**
Park Gro. *Dee* —2H **11**
Parkhill Rd. *Dee* —1J **11**
Park Ho. M. *Mold* —5F **19**
Park La. *L'ton* —5H **17**
Park Rd. *Buck* —4E **20**
Park Rd. W. *Ches* —2G **25**
Parkside. *Buck* —4D **20**
Parks, The. *Con Q* —1E **10**
Park St. *Ches* —7K **15** (5D **28**)
Park Ter. *Ches* —7A **16** (4E **28**)
Park, The. *Chris* —1G **27**
Park, The. *Mold* —5E **18**
Park Vw. *Buck* —4H **21**
Park Wlk. *Buck* —4E **20**
Park Wlk. *Ches* —4K **15**
Parkway. *Dee I* —5B **4**
Parkway. *Mold* —5F **19**
Park Way. *Saug* —6A **6**
Park W. *Ches* —6E **14**
Parsons La. *Ches* —1H **15**
Pathway, The. *Brou* —5F **23**
Patten Clo. *Ewloe* —1G **21**
Pavilions, The. *Ches B* —6H **25**
Peach Fld. *Ches* —2D **26**
Pearl La. *Vic X & L'ton* —6D **16**
(in two parts)
Pear Tree Clo. *Shot* —4J **11**
Pear Tree Way. *Ches* —3B **16**
Peckforton Way. *Ches* —2A **16**
Peel Ter. *Ches* —6A **16** (2E **28**)
Pemba Dri. *Buck* —4E **20**
Pemberton Rd. *Ches* —6J **15** (3B **28**)
Pembroke Clo. *Ches* —3A **26**
Pembroke Clo. *Queen* —4B **12**
Pembry Ri. *Dee* —7E **2**
Penfold Hey. *Ches* —1K **15**
Pengwlady's Av. *Dee* —3F **11**
Penlan Dri. *Haw* —6A **12**
Penley Rd. *Buck* —5E **20**
Penmon Clo. *Blac* —5D **14**
Pennant St. *Dee* —1H **11**
Penrhos Ct. *Con Q* —4E **10**
Pensby Av. *Ches* —3K **15**
Pentland Clo. *Ches* —6C **16**
Pentre La. *Buck* —2C **20**
Pen-y-Bryn. *Flint* —4D **2**
Pen-y-Bryn. *Mold* —5E **18**
Pen-y-Bryn. *Syc* —2A **18**
Pen y Coed Rd. *Buck* —3G **21**
Pen-y-Garreg Clo. *Bryn B* —4A **20**
Pen-y-Llan St. *Dee* —7F **3**
Pen-y-Lon. *M Isa* —5J **19**
Pen y Maes. *Buck* —5C **20**
Penymaes. *M Isa* —4K **19**
Penymynydd Rd. *Penym & Penyf* —7J **21**
Pen-y-Pentre. *Syc* —2B **18**
Pepper Row. *Ches* —5C **28**
Pepper St. *Ches* —7K **15** (5C **28**)
Pepper St. *Chris* —1F **27**
Percival Clo. *Mos* —7J **7**
Percival Rd. *Mos* —6J **7**
Percy Rd. *Ches & Hand* —2K **25** (7D **28**)
Perrins Wlk. Flint —*2C* ***2***
(off Sydney St.)
Philip St. *Sand* —6E **12**
Phillips Rd. *Ches* —5D **14**
Phillip St. *Ches* —5A **16**
Phoenix St. *Sand* —5E **12**
Pickering St. *Ches* —5A **16**
Pickmere Dri. *Ches* —1D **26**
Picton Gorse La. *Hoole V* —1D **16**
Picton La. *Wer & Pic* —1C **8**
Picton Valley. *Pic* —4E **8**
Pierce St. *Queen* —3B **12**
Pierpoint La. *Ches* —7J **15** (5B **28**)
Pine Crest. *Flint* —3A **2**
Pine Gdns. *Ches* —2J **15**
Pine Gro. *Ches* —4D **16**
Pine Gro. *M Isa* —5A **20**
Pines, The. *Haw* —2H **21**
Pinetree Clo. *Brou* —6F **23**
Pinewood Av. *Con Q* —1G **11**
Pinewood Rd. *Drury* —4H **21**
Pinfold Ct. *Ches* —3A **26**
Pinfold Ind. Est. *Buck* —2D **20**
Pinfold La. *All & Buck* —1C **20**
Pinfold La. *Ches* —3K **25**
Pinfold La. *Nor H* —5D **10**
Pinfold Workshops. *Buck* —2D **20**
Pingot Cft. *Gt Bou* —2D **26**
Pipers Ct. *Hoole* —4D **16**
Pipers La. *Ches* —4D **16**
Pippins Clo. *Shot* —3J **11**
Plas Newton La. *Ches* —3A **16**
Pleasant Vw. *Penyf* —7K **21**
Plemstall Clo. *Mick T* —7H **9**
Plemstall La. *Mick T* —6H **9**
Plemstall Way. *Mick T* —6H **9**
Plough La. *Chris* —2G **27**
Plough La. *Dee* —4K **11**
Plumley Clo. *Vic X* —7E **16**
Plum Ter. *Ches* —6J **15** (2A **28**)
Plymouth St. *Shot* —2J **11**
Poplar Av. *Dee* —4K **11**
Poplar Clo. *Dee* —2G **11**
Poplar Gro. *Haw* —6G **11**
Poplar Ho. *Ches* —6E **14**
Poplar Rd. *Ches* —4F **25**
Poplars, The. *Dee* —2H **21**
Porters Cft. *Guil S* —3H **17**
Potters Way. *Buck* —4C **20**
Powell Rd. *Buck* —6C **20**
Powell's Orchard. *Hand* —2J **25**
Powey La. *Moll* —3B **6**
Powys Clo. *Queen* —4B **12**
Powys Ct. *Ches* —6J **15** (3A **28**)
Precinct, The. *Buck* —5D **20**
Precinct Way. *Buck* —6D **20**
Pren Av. *M Isa* —5A **20**
Pren Hill. *M Isa* —5B **20**
Prenton Pl. *Ches* —2A **26** (7E **28**)
Prescot St. *Ches* —5B **16**
Pretoria St. *Ches* —2K **25** (7D **28**)
Primrose Clo. *Hunt* —3C **26**
Primrose Hill. *Con Q* —7H **3**
Primrose St. *Con Q* —1G **11**
Prince of Wales Av. *Flint* —2C **2**
Prince of Wales Ct. Buck —*5F* ***21***
(off Chester Rd.)
Prince's Av. *Ches* —6A **16**
Princes Dri. *Flint* —4D **2**
Princess Av. *Buck* —6D **20**
Princess St. *Ches* —7J **15** (4B **28**)
Prince's St. *Dee* —1G **11**
Princes St. *Flint* —2D **2**
Prince William Av. *Sand* —5F **13**
Prince William Ct. *Ewloe* —7J **11**
Prince William Gdns. *Dee* —6C **12**
Priors Clo. *Dee* —4J **11**
Priory Clo. *Ches* —4J **15**
Priory Pl. *Ches* —7K **15** (4D **28**)
Private Wlk. *Ches* —1C **26**
Promised Land La. *Row* —4G **27**
Prospect Clo. *Dee* —6J **11**
Prosser Rd. *Mos* —6H **7**
Provan Way. *Ches* —3D **14**
Pulford Rd. *Ches* —3E **14**
Pwll Glas. *Mold* —4E **18**
Pwll y Hwyaden. *Flint* —4D **2**
Pyecroft St. *Ches* —2K **25**

Quadrant, The. *Ches* —6D **14**
Quarry Clo. *Hand* —2J **25**
Quarry Clo. *Nor H* —4B **10**
Quarry La. *Chris* —2F **27**
Quarry La. *Con Q* —2G **11**
Quarry La. *Wav* —6J **27**
Queen's Av. *Ches* —6A **16**
Queen's Av. *Con Q* —7F **3**
Queens Av. *Flint* —3D **2**
Queens Av. *Sand* —5E **12**
Queensbury Dri. *Flint* —2A **2**
Queens Cres. *Ches* —1A **16**
Queens Dri. *Buck* —5D **20**
Queen's Dri. *Ches* —1A **26** (6E **28**)
Queen's La. *Mold* —6G **19**
Queen's Pk. *Ches* —7D **28**
Queens Pk. *Mold* —4D **18**
Queen's Pk. Ho. *Ches* —7D **28**
Queens Pk. Rd. *Ches* —1K **25**
Queens Pk. Vw. *Ches* —1K **25** (7D **28**)
Queens Pl. *Ches* —6K **15** (3D **28**)
Queen's Rd. *Ches* —6A **16**
Queen's Rd. *Dee* —1D **12**
Queens Rd. *Vic X* —6D **16**
Queens St. *Flint* —2D **2**
Queen St. *Ches* —6K **15** (3D **28**)
Queen St. *Dee* —3B **12**
Queen's Way. *Brou* —5F **23**
Queensway. *Ches* —4A **16**
Queensway. *Dee* —2J **11**

Radford Clo. *Con Q* —1J **11**
Radnor Clo. *Queen* —4B **12**

Radnor Dri.—Sparks Clo.

Radnor Dri. *Ches* —4G **25**
Raewood Av. *Haw* —1H **21**
Raikes La. *Syc* —2A **18**
Railway Ter. *Con Q* —7G **3**
 (off Church Hill)
Railway Ter. *Sand* —5F **13**
Rake La. *Chor B* —3K **7**
Rake La. *Chris* —1J **27**
Rake La. *Ecc* —7J **25**
Rake La. *Haw* —2D **22**
Rake La. *Hel* —1K **9**
Rake Way. *Saug* —7A **6**
Ramsden Ct. *Ches* —5F **25**
Ranwonath Ct. *Ches*
 —5K **15** (1C **28**)
Raven Sq. *Flint* —1C **2**
Rawson Rd. *Blac* —5E **14**
Raymond St. *Ches*
 —6J **15** (3A **28**)
Recorder's Steps. *Ches* —6D **28**
Rectors La. *Pen* —5D **12**
Rectory Clo. *Flint* —3C **2**
Rectory La. *Dee* —1B **22**
Red Hall Av. *Dee* —1H **11**
Red Hall Shop. Cen. *Dee* —1G **11**
Redhill Rd. *Ches* —3F **25**
Redland Clo. *Ches* —2G **25**
Red Rd. *Buck* —3D **20**
Redwood Clo. *Salt* —3E **24**
Reece Clo. *Mick T* —7G **9**
Reeves Rd. *Ches* —1D **26**
Regency Ct. *Mick T* —7G **9**
Regents Clo. *Ches* —6D **16**
Reservoir Ter. *Ches* —6B **16**
 (off Richmond Ct.)
Rhodfa Cilcain. *Mold* —6D **18**
Rhodfa Mynydd. *Mold* —6E **18**
Rhone Ct. *Ches* —2C **26**
Rhoswen. *Flint* —4D **2**
Rhuddlan Rd. *Blac* —4D **14**
Rhuddlan Rd. *Buck* —3E **20**
Rhydymwyn Rd. *G'nydd* —7B **18**
Richard Heights. *Flint* —1C **2**
 (off Feathers St.)
Richards Cft. *Ches* —2C **26**
Richmond Ct. *Ches* —6B **16**
Richmond Cres. *Vic X* —7E **16**
Richmond M. *Ches* —6B **16**
Richmond Rd. *Con Q* —2G **11**
Ridges La. *Saig* —5E **26**
Ridgeway Clo. *Dee* —7F **11**
Ridgeway, The. *Dee* —6K **11**
Ridgeway, The. *Nor H* —4B **10**
Ridings, The. *Saug* —6A **6**
Ring Rd. *Ches* —4D **16**
Ringway. *Wav* —4K **27**
River La. *Ches* —2J **25** (7B **28**)
River La. *Salt* —2D **24**
Riverside Ct. *Gt Bou* —2B **26**
Riverside Ind. Est. *Ches* —2E **24**
Riverside Pk. *Gard C* —2D **12**
Riversmead. *Hunt* —4C **26**
River Vw. *Con Q* —7F **3**
Robert's Ter. *Ches* —7H **15**
Robinsons Cft. *Ches* —2D **26**
Rockcliffe. *Bryn B* —3K **19**
Rock La. *Ches* —5J **15** (1B **28**)
Rock Rd. *Con Q* —6G **3**
Roebourne Ri. *Blac* —4D **14**
Roman Dri. *Blac* —2D **14**
Roman Way. *Buck* —5D **20**
Rookery, The. *Brou* —6F **23**
Rose La. *M Isa* —5H **19**
Rosemary Clo. *Brou* —6G **23**
Rosemary Wlk. *Flint* —2C **2**
 (off Sydney St.)
Rosewood Av. *Ches* —3K **15**
Rosewood Gro. *Drury* —4H **21**
Rosewood Gro. *Buck* —6B **6**
Rosslyn Clo. *Haw* —6E **12**
Rosslyn Rd. *Ches* —5D **16**

Rothesay Rd. *Ches* —2G **25**
Roughlyn Cres. *Marl L* —7E **24**
Round Hill Mdw. *Gt Bou* —2D **26**
Rowan Gro. *Dee* —6E **2**
Rowan Pk. *Chris* —2G **27**
Rowan Pl. *Ches* —4D **16**
Rowan Rd. *Dee* —5J **11**
Rowans, The. *Brou* —6F **23**
Rowcliffe Av. *Ches* —5F **25**
Rowden Cres. *Shot* —2J **11**
Rowden St. *Shot* —2J **11**
Rowena Ct. *Hoole* —5B **16**
Rowlands Heights. *Ches* —2E **28**
Rowley's Dri. *Shot* —2K **11**
Rowton Bri. Rd. *Chris* —2G **27**
Rowton La. *Row* —3G **27**
Royal Clo. *Dee* —7G **3**
 (off Tuscan Way)
Royal Dri. *Flint* —2A **2**
Rufus Ct. *Ches* —6J **15** (3B **28**)
Rufus Ct. Row. *Ches* —3B **28**
Rumney Clo. *Con Q* —4E **10**
Rushfield Rd. *Ches* —4H **25**
Russell St. *Ches*
 —6A **16** (3E **28**)
Ruthin Rd. *G'nydd & Mold*
 —7A **18**
Rutland Ct. *Dee* —2F **11**
Rutland Pl. *Ches* —3C **16**
Rydal Dri. *Buck* —3E **20**
Rydal Gro. *Ches* —3G **25**
Ryeland St. *Dee* —1K **11**

Saighton La. *Saig & Wav*
 —7H **27**
St Andrews Clo. *Haw* —1K **21**
 (off Groomsdale La.)
St Andrews Dri. *Buck* —4C **20**
St Andrews Wlk. *Mick T* —7H **9**
St Annes. *Ches* —2C **28**
St Annes Pl. *Ches* —2B **28**
St Anne St. *Ches* —2C **28**
 (in two parts)
St Bartholomews Ct. *Dee* —2J **13**
St Bridgets Ct. *Ches* —3H **25**
St Catherines Clo. *Flint* —2C **2**
St Chads Hamlet. *Blac* —4F **15**
St Chad's Rd. *Blac* —4F **15**
St Christophers Clo. *Ches* —7K **7**
St David's Clo. *Buck* —3C **20**
St David's Clo. *Dee* —6H **11**
St Davids Clo. *Flint* —4D **2**
St David's Dri. *Con Q* —1F **11**
St David's Dri. *Shot* —2K **11**
St David's La. *Mold* —4G **19**
St Davids Pk. *Dee* —1G **21**
St David's Ter. *Salt F* —2C **24**
St Ethelwolds St. *Dee* —4K **11**
St George's. *Ches*
 —6K **15** (2D **28**)
St George's Cres. *Ches*
 —1A **26** (6E **28**)
St George's Cres. *Wav* —4J **27**
St Giles. *Ches* —7B **16**
 (off Mount, The)
St Ives Way. *Sand* —5E **12**
St James Av. *Upton* —1B **16**
St James Clo. *Haw* —1A **22**
St James. *Ches*
 —6K **15** (2D **28**)
St John's Clo. *Buck* —4D **20**
St Johns Clo. *Haw* —1K **21**
St Johns Clo. *Penym* —7K **21**
St John's Rear Rd. *Ches*
 —1A **26** (7E **28**)
St John's Rd. *Ches*
 —1A **26** (6E **28**)
St John St. *Ches*
 —7K **15** (4D **28**)
St Mark's Av. *Dee* —1F **11**

St Mark's Rd. *Ches* —3F **25**
St Martin's Way. *Ches*
 —6J **15** (3A **28**)
St Mary's Clo. *Nor H* —4B **10**
St Mary's Dri. *Nor H* —4B **10**
St Mary's Hill. *Ches*
 —1K **25** (6C **28**)
St Mary's M. *Mold* —4F **19**
St Mary's Way. *Brou* —4G **25**
St Mellor's Rd. *Buck* —4C **20**
St Michael's Row. *Ches*
 —7K **15** (5C **28**)
St Michael's Sq. *Ches* —5C **28**
St Olave St. *Ches*
 —1K **25** (6C **28**)
St Oswald's. *Ches*
 —6K **15** (2D **28**)
St Oswald's Way. *Ches*
 —6J **15** (2B **28**)
St Pauls Clo. *Haw* —1A **22**
 (off Highway, The)
St Peter's Pk. *Nor* —1A **10**
St Peters Way. *Mick T* —7H **9**
St Thomas Pathway. *Ches*
 —7K **15** (4D **28**)
St Werburgh Mt. *Ches* —4C **28**
St Werburgh Row. *Ches* —4C **28**
St Werburgh St. *Ches*
 —7K **15** (4C **28**)
Salerno Rd. *Mos* —7H **7**
Salisbury Av. *Salt* —3D **24**
Salisbury St. *Ches* —5H **15**
Salisbury St. *Dee* —2K **11**
Salmon Leap. *Ches*
 —1K **25** (6D **28**)
Salter's La. *Pic* —7E **8**
Saltney Ferry Rd. *Salt F* —2B **24**
Saltney Ter. *Salt F* —2B **24**
Samuel St. *Ches*
 —6A **16** (3E **28**)
Sandileigh. *Ches* —4A **16**
Sandon Rd. *Ches* —4K **15**
Sandown Ct. *Shot* —4K **11**
Sandown Rd. *Shot* —4J **11**
Sandown Ter. *Ches* —7B **16**
Sandpiper Ct. *Ches B* —7H **25**
Sandpiper Way. *Ches B* —6H **25**
Sandringham Av. *Vic X* —6C **16**
Sandrock Rd. *Ches* —2G **27**
Sandwood Av. *Brou* —6F **23**
Sandy Gro. *Mold* —6E **18**
Sandy La. *Ches* —7B **16**
Sandy La. *Gard C* —1D **12**
Sandy La. *Hunt & Saig* —4D **26**
Sandy La. *Salt* —3C **24**
Sandy Way. *Haw* —7J **11**
Sark Ho. *Ches* —4D **16**
Sarl Williams Ct. *Ches*
 —6J **15** (3B **28**)
Saughall Hey. *Saug* —6A **6**
Saughall Rd. *Blac* —3D **14**
Saxon Way. *Blac* —2D **14**
Scholars Clo. *Salt* —3E **24**
School La. *Guil S* —3G **17**
School La. *Mick T* —7G **9**
School St. *Ches* —5A **16**
Scotch Row. *Dee* —6C **12**
Scots Rd. *Dee* —6B **12**
Seahill Rd. *Saug* —2J **13**
Sealand Av. *Gard C & Dee*
 —1D **12**
Sealand Ind. Est. *Ches* —6F **15**
Sealand Rd. *Sea & Ches* —1E **12**
Seathwaite Way. *Con Q* —2E **10**
Seaville St. *Ches* —6A **16**
Sebring Av. *Nor H* —4D **10**
Second Av. *Dee I* —4D **4**
Second Av. *Flint* —3C **2**
Sedgefield Rd. *Ches* —6H **15**
Sedum Clo. *Hunt* —3C **26**
Sefton Rd. *Ches* —4C **16**

Selkirk Dri. *Ches* —2G **25**
Selkirk Rd. *Ches* —2G **25**
Seller St. *Ches* —6A **16** (3E **28**)
Selsdon Clo. *Buck* —4C **20**
Selsdon Ct. *Ches* —2J **25**
Sens Clo. *Ches* —7J **15** (4A **28**)
Serenity La. *Dee* —5K **21**
Serpentine, The. *Ches* —2H **25**
Shaftesbury Av. *Ches* —6D **16**
Shaftesbury Dri. *Flint* —2A **2**
Shakespeare Av. *Ewloe* —2G **21**
Shannon Clo. *Salt* —4E **24**
Shavington Av. *Ches* —4B **16**
Shaw Clo. *Ewloe* —1G **21**
Shed La. *Ches* —6C **16**
Sheldon Av. *Ches* —6D **16**
Shelley Clo. *Ewloe* —1G **21**
Shelley Rd. *Ches* —2E **14**
Shepherd's La. *Ches* —3K **15**
Sheraton Rd. *Chris* —4K **27**
Sherbourne Av. *Ches* —4H **25**
Sheringham Clo. *Salt* —4E **24**
Sherwood Rd. *Blac* —3E **14**
Shipbrook Rd. *Ches* —2B **16**
Shipgate St. *Ches*
 —1K **25** (6C **28**)
Shipgate, The. *Ches* —6C **28**
Shire Vw. *Mold* —4F **19**
Shocklach Rd. *Ches* —2A **16**
Shotton La. *Shot* —6G **11**
Shotwick-Helsby By-Pass.
 S'wck & Dunk —3G **5**
Shotwick La. *Wood* —3F **5**
Shotwick Rd. *Dee* —3C **4**
Shrewsbury Way. *Ches* —3F **25**
Sibell St. *Ches* —6A **16** (2E **28**)
Siddeley Clo. *Brou* —5G **23**
Sidney Hall Ct. *Con Q* —3E **10**
Signal Ct. *Hoole* —6B **16**
Silverbirch Cft. *Brou* —6F **23**
Silverdale Av. *Buck* —4H **21**
Silvermuir. *Ches* —5E **14**
Silverstone Dri. *Buck* —5B **20**
Simonstone Rd. *Brou* —5H **23**
Simpson Clo. *Mos* —6J **7**
Simpson Rd. *Mos* —6J **7**
Simpsons Way. *Brou* —6F **23**
Sixth Av. *Dee I* —5C **4**
Sixth Av. *Flint* —3C **2**
Skips La. *Chris* —2G **27**
Slack La. *Haw* —4J **21**
Smithy Clo. *Saug* —6A **6**
Smithy La. *Dee* —7E **10**
Smithy La. *Nor H* —3B **10**
Smithy Pathway. *Ches* —5F **25**
Snowdon Av. *Bryn B* —3A **20**
Snowdon Av. *Dee* —1F **11**
Snowdon Cres. *Ches* —4G **25**
Somerford Rd. *Brou* —5G **23**
Somerset Rd. *New* —3B **16**
Somerset St. *Ches*
 —5K **15** (1C **28**)
Sorrel Clo. *Hunt* —3C **26**
Soughton Rd. *All* —2K **19**
Souters La. *Ches*
 —7K **15** (5D **28**)
South Av. *Ches* —5A **16** (1E **28**)
South Bank. *Ches* —4J **15**
South Bank. *Dee* —4K **11**
South Cres. Rd. *Ches*
 —1A **26** (6E **28**)
Southfields Clo. *Buck* —4C **20**
South Grn. *Sea* —2E **12**
South La. *Buck* —4C **20**
South St. *Ches* —7C **16**
South Vw. *Buck* —6E **20**
South Vw. Rd. *Ches*
 —6H **15** (3A **28**)
South Way. *Blac* —4E **14**
Sovereign Way. *Ches* —6E **14**
Sparks Clo. *Ches* —2D **26**

Speedwell Clo. Hunt —4D 26
Spenser Clo. Ewloe —1G 21
Spital Wlk. Ches —6B 16
Spon Grn. Buck —6F 21
Springdale. Haw —7J 11
Springfield. Dee —1A 22
Springfield Clo. Con Q —2E 10
Springfield Clo. Flint —3B 2
Springfield Dri. Buck —5B 20
Springfield Dri. Ches —4A 16
Springfields. Mick T —7G 9
Spring St. Con Q —1J 11
Springwood Clo. Ches —4C 14
Square, The. Chris —1G 27
Square, The. M Isa —4K 19
Stadium Ind. Est., The. Ches —5G 15
Stadium Way. Ches —6G 15
Stafford Rd. Dee —1D 12
Stainton Gro. Dee —7E 2
Stamford Ct. Ches —6E 16
Stamford La. Cot E —5K 17
Stamford Rd. Blac —3D 14
Stamford Way. Haw —4D 10
Standard Rd. Buck —2F 21
Stanley Pk. Ct. Salt —4E 24
Stanley Pk. Dri. Salt —4E 24
Stanley Pl. Ches —7J 15 (4A 28)
Stanley Pl. Dee —3J 11
Stanley Rd. Buck —5C 20
Stanleys Est. Buck —5C 20
Stanley St. Ches —7J 15 (4A 28)
Stanley St. Mold —5F 19
Stanton Dri. Ches —3K 15
Station Cotts. Saug —1K 13
Station La. Haw —1A 22
Station La. Mick T —7H 9
Station Rd. Back —5F 7
Station Rd. Buck —7C 20
Station Rd. Ches —5A 16 (1E 28)
Station Rd. Haw —1A 22
Station Rd. Queen —3B 12
Station Rd. Sand —6E 12
Station Ter. Sand —5F 13
Station Vw. Ches —6B 16
Steam Mill St. Ches —6A 16
Stearns Clo. Blac —3G 15
Steele St. Ches —7K 15 (6C 28)
Stendall Rd. Ches —5G 15
Stephen Gray Rd. Mold —6H 19
Steven Ct. Ches —6A 16
Stile End. Mick T —7H 9
Stirling Clo. Ches —6C 16
Stocks Av. Ches —1C 26
Stocks La. Ches —7C 16
Stone Cft. Gt Bou —2D 26
Stoneleigh Clo. Dee —2D 12
Stone Pl. Ches —5B 16
Stone Row. Dee —7G 3 (off Church Hill)
Stratford Rd. Blac —4E 14
Strawberry Fields. Gt Bou —2D 26
Strawberry La. Moll —2C 6
Street, The. Mick T —1E 16
Strickland St. Dee —3K 11
Stryd Henardd. Mold —6F 19
Stuart Clo. Ches —5E 16
Stuart Pl. Ches —6K 15 (2D 28)
Stubbs Pl. Blac —5E 14
Suffolk Ho. Ches —6A 16 (3E 28)
Summerdale Rd. Dee —4J 11
Summerfield Rd. Guil S —3H 17
Summersville Clo. Con Q —1F 11
Sumner Rd. Blac —4E 14
Sumpter Pathway. Ches —5B 16
Sunbury Cres. Ches —3F 25
Suningdale. Buck —3C 20
Sunny Ridge. Mold —3E 18
Sunnyside. Man —6B 12
Surrey Rd. Ches —3C 16
Sussex Rd. Ches —4B 16
Sussex Way. Ches —3B 16
Sutherland Way. Ches —5D 16
Sutton Clo. Con Q —3E 10
Sutton Clo. Mick T —7H 9
Sutton Dri. Ches —3A 16
Swain Av. Buck —6F 21
Swan La. G'nydd —7B 18
Swan Wlk. Flint —2C 2 (off Duke St.)
Swinchaird La. Flint —2C 2 (in two parts)
Swinchiard Wlk. Flint —2C 2
Swinleys Hey. Gt Bou —2C 26
Swn y Gwynt. Flint —4D 2
Swn-y-Nant. Mold —6F 19
Sycamore Av. Dee —1G 11
Sycamore Clo. Dee —2H 21
Sycamore Dri. Ches —4E 24
Sycamore Gro. Brou —6F 23
Sydney Rd. Ches —5H 15
Sydney St. Flint —2C 2
Sylvan M. Blac —2E 14

Tabernacle St. Buck —5D 20
Talbot St. Ches —5K 15 (1D 28)
Talfryn Clo. Dee —6F 3
Talgarreg Dri. Dee —4E 10
Taliesin Av. Shot —2J 11
Tan y Bryn. Buck —3C 20
Tan-y-Bryn. Syc —2A 18
Tan-y-Coed. Mold —5E 18
Tan y Coed. Syc —1G 19
Tan-y-Graig. Mold —5D 18
Tan-yr-Ysgol. Syc —2A 18
Tarrant Ct. Moll —6F 7
Tarvin Rd. Ches —7C 16
Tarvin Rd. L'ton —6F 17
Tatton Clo. Salt —4E 24
Taylors Vw. Dee —3J 11
Taynton Clo. Dee —1E 10
Tecwyn Dri. Dee —7E 2
Tegid Way. Salt —4D 24
Telford Way. Ches —3F 25
Tennyson Ct. Ewloe —1H 21
Tennyson Wlk. Blac —3G 15
Terrig Cres. Buck —5D 20
Terrig St. Dee —4K 11
Tewkesbury Clo. Ches —1B 16
Thackeray Dri. Ches —5E 16
Thackeray Towers. Ches —2E 28
Third Av. Dee I —6D 4
Third Av. Flint —3C 2
Thirlmere Rd. Ches —3C 16
Thomas Av. Ewloe —1G 21
Thomas Brassey Clo. Ches —5A 16
Thomas Clo. Blac —2F 15
Thomas Clo. Mick T —7H 9
Thomas St. Flint —1D 2
Thornberry Clo. Saug —7B 6
Thornfield Av. Con Q —2H 11
Thornfields. Dee —4J 11
Thornhill Clo. Brou —6D 22
Thornton Dri. Ches —3K 15
Threos Clo. Dee —4E 10
Thurston Rd. Salt —4E 24
Tilers Clo. Buck —4C 20
Timberfields Rd. Saug —7A 6
Tintern Av. Ches —2B 16
Tir Wat. M Isa —5A 20
Titian Clo. Con Q —7E 2
Tivaton Clo. Con Q —2F 11
Tiverton Clo. Ches —3A 16
Toft Clo. Salt —4E 24
Toll Bar Rd. Ches —7E 16
Tollemache Ter. Ches —6B 16
Tomkinson St. Ches —5A 16
Tomlins Ter. Blac —3E 14 (off Burton Rd.)
Toogood Clo. Mick T —7H 9
Totland Gro. Ches —4A 16
Tower Rd. Ches —6H 15 (3A 28)
Tower Wharf. Ches —6J 15 (3A 28)
Townfield La. Moll —3D 6
Trafford St. Ches —5K 15 (1C 28)
Tram La. Buck —4E 20
Tram Rd. Buck —3E 20
Tramway St. Ches —6A 16 (2E 28)
Treborth Rd. Blac —5D 14
Trefoil Clo. Hunt —3D 26
Tregele Clo. Ches —5D 14
Trelawney Sq. Flint —1C 2
Trelawny Av. Flint —2D 2
Trelech Ct. Dee —4E 10
Trem Afon. M Isa —4K 19
Trem y Foel. Syc —1G 19
Trinity St. Ches —7J 15 (4B 28)
Trueman's Ct. Haw —1A 22
Trueman's Way. Haw —1A 22
Trum yr Hydref. Nor H —4C 10
Tudor Av. Flint —4C 2
Tudor Clo. Dee —3K 11
Tudor Clo. Nor H —4B 10
Tudor Grn. Ches —2E 14
Tudor Way. Ches —2C 26
Tuscan Way. Con Q —7G 3
Tushingham Clo. Ches —2D 26
Twain Clo. Ewloe —1G 21
Tyddyn St. Mold —5F 19

Ullswater Cres. Ches —2C 16
Ullswater Rd. Buck —3F 21
Union Pl. Ches —5B 28
Union St. Ches —7A 16 (4E 28)
Union Ter. Ches —6K 15 (3D 28)
Union Wlk. Ches —7K 15 (4D 28)
Unity Pas. Ches —7K 15 (6C 28)
Uplands Av. Con Q —3F 11
Up. Aston Hall La. Haw —7K 11
Up. Bryn Coch. Mold —7D 18
Up. Bryn Coch La. Mold —6D 18
Up. Bryn Rd. Dee —7F 3
Up. Cambrian Rd. Ches —6H 15 (2A 28)
Up. Northgate St. Ches —6J 15 (2B 28)
Upton Dri. Upton —2J 15
Upton La. Upton —1J 15
Upton Pk. Ches —2K 15
Uwch-y-Dre. G'nydd —7B 18
Uwch-y-Nant. M Isa —4K 19

Vale Av. Haw —2G 21
Vale Clo. Brou —6G 23
Vale Dri. M Isa —5K 19
Valley Dri. Ches —3J 15
Vaughans La. Gt Bou —2C 26
Vaughan Way. Dee —3F 11
Venables Rd. Blac —4F 15
Vermeer Clo. Con Q —7E 2
Vernay Grn. Ches —4H 25
Vernon Clo. Saug —7A 6
Vernon Rd. Ches —6H 15
Vetches, The. Guil S —3H 17
Vicarage Clo. Guil S —3H 17
Vicarage Rd. Ches —5B 16
Vicars Cross Ct. Ches —6D 16
Vicars Cross Rd. Ches —6D 16
Vicar's La. Ches —7K 15 (5D 28)
Vickers Clo. Haw —5A 12
Victoria Av. Buck —4E 20
Victoria Ct. Ches —5J 15 (1B 28)
Victoria Cres. Ches (CH2) —5J 15 (1B 28)
Victoria Cres. Ches (CH4) —1A 26 (6E 28)
Victoria Cres. Shot —2J 11
Victoria Pathway. Ches —1A 26 (7E 28)
Victoria Pl. Ches —6K 15 (3D 28)
Victoria Rd. Buck —4E 20
Victoria Rd. Ches (in two parts) —5J 15 (1B 28)
Victoria Rd. Mold —5F 19
Victoria Rd. Salt —3D 24
Victoria Rd. Shot —2J 11
Victoria Ter. Mold —4G 19
Victory Ct. Mold —6G 19
Viking Way. Con Q —7E 2
Village Rd. Chris —1G 27
Village Rd. Nor —4A 10
Village Rd. Wav —5K 27
Villa Rd. Dee —2F 13
Vincent Dri. Ches —3H 25
Virginia Dri. Blac —3C 14
Volunteer St. Ches —7K 15 (5C 28)
Vownog. Syc —1A 18
Vownog Newydd. Syc —2B 18
Vyrnwy Rd. Salt —3D 24

Walker St. Hoole —5A 16
Walls Av. Ches —7H 15 (4A 28)
Walmoor Hill. Ches —1C 26
Walmoor Pk. Ches —1C 26
Walnut Clo. Ches —1K 15
Walpole Av. Dee —1J 21
Walpole St. Ches —5J 15 (1A 28)
Walter St. Ches —5K 15 (1D 28)
Waltham Pl. Ches —3G 25
Walton Pl. Ches —4E 14
Waltons, The. Ches —3A 26
Wards Ter. Ches —5B 16
Wared Dri. Nor H —4B 10
Warren Cres. Buck —5H 21
Warren Dri. Brou —6E 22
Warrington Rd. Ches —3D 16
Warwick Rd. Ches —3F 15
Washington Dri. Dee —7J 11
Watergate Row N. Ches —7J 15 (5B 28)
Watergate Row S. Ches —7J 15 (5B 28)
Watergate Sq. Ches —7J 15 (5A 28)
Watergate St. Ches —5A 28
Waterloo Rd. Ches —4J 15
Waters Edge. Ches —3A 28
Waterside Vw. Ches —6K 15 (3C 28)
Waters Reams. Gt Bou —1D 26
Water St. Mold —5F 19
Water Tower St. Ches —6J 15 (3B 28)
Watertower Vw. Ches —6B 16
Waterway. Wav —4K 27
Watkin St. Sand —5E 12
Watling Ct. Ches —6E 16
Watling Cres. Ches —2K 25
Wats Dyke Av. M Isa —4K 19
Wat's Dyke Way. Syc —1B 18
Watson's Clo. Brou —6G 23
Watts Ct. Buck —5B 20
Wavells Way. Hunt —4D 26
Waverley Ter. Ches —4A 16
Waverton Bus. Pk. Wav —5H 27

Waverton Mill Quays. *Wav* —4K **27**
Wavertree Rd. *Ches* —3C **14**
Wayside Ct. *Mick T* —7H **9**
Wealstone Ct. *Ches* —3A **16**
Wealstone La. *Upton* —2K **15**
Weaver Gro. *Mick T* —6H **9**
Weaver St. *Ches* —7J **15** (5B **28**)
Webster Clo. *Brou* —6G **23**
Wedgewood Rd. *Dee* —5K **11**
Weighbridge Rd. *Dee* —3H **3**
Welland Dri. *Dee* —1F **11**
Well Ho. Dri. *Penym* —7K **21**
Wellington Clo. *Dee* —1H **21**
Wellington Pl. *Ches* —2D **28**
Wellington Rd. *Brou* —6F **23**
Wellington St. *Shot* —2K **11**
Well La. *Moll* —6F **7**
Well La. *New* —3A **16**
Wells Clo. *Mick T* —7H **9**
Well St. *Buck* —6B **20**
Welsh Rd. *Gard C & Dee* —2C **12**
Welsh Rd. *Wood* —3G **5**
Wemyss Rd. *Ches* —4D **14**
Wenlock Cres. *Man* —5C **12**
Wenlock Way. *Ches* —3F **25**
Wentworth Clo. *Buck* —3C **20**
Wepre Ct. *Dee* —3F **11**
Wepre Dri. *Con Q* —2J **11**
Wepre Hall Cres. *Dee* —2G **11**
Wepre La. *Nor H* —4D **10**
Wepre Pk. *Con Q* —2G **11**
Wervin Rd. *Wer* —2B **8**
Wesley Pl. *Mold* —3F **19**
Wesley St. *Dee* —1H **11**
West Bank. *Ches* —4J **15**
Westbourne Cres. *Buck* —5C **20**
Westbourne Rd. *Ches* —4G **15**
Westbrook Dri. *Buck* —6E **20**
Westbury Dri. *Buck* —5F **21**
Westbury Way. *Ches* —3F **25**
Western App. *Ches* —4A **16**
Western Av. *Blac* —5C **14**
Western Ct. *Ches* —4A **16**
Westfield Clo. *Ches* —2H **25**
West Grn. *Sea* —2E **12**
W. Lorne St. *Ches* —6J **15** (2A **28**)
Westminster Av. *Ches* —3H **25**
*Westminster Ct. Hoole —6B **16***
(off Lightfoot St.)
Westminster Cres. *Dee* —3A **12**
Westminster Grn. *Hand* —2K **25** (7C **28**)
Westminster Rd. *Brou* —6F **23**
Westminster Rd. *Ches & Hoole* —5B **16**
Westminster Ter. *Ches* —2J **25** (7B **28**)
Weston Clo. *Dee* —2D **12**
Weston Gro. *Ches* —2A **16**
West St. *Ches* —5A **16** (1E **28**)
West Vw. *Buck* —6E **20**
West Vw. *Mold* —5F **19**
West Vw. Dri. *M Isa* —5J **19**
Westward Rd. *Ches* —1C **26**
Westway. *Dee* —6C **12**
Wetherby Clo. *Ches* —6H **15**
Weybourne Clo. *Salt* —4E **24**
Whaddon Dri. *Ches* —5F **25**
Wharfdale Av. *Dee* —2F **11**
Wheldon Clo. *Ches* —7A **8**
Whipcord La. *Ches* —5H **15** (2A **28**)
Whitby Av. *Ches* —3K **15**
Whitby La. *Back* —1G **7**
Whitchurch Rd. *Gt Bou & Chris* —7D **16**
Whitchurch Rd. *Row & Wav* —3H **27**
Whitecroft Clo. *Con Q* —1E **10**
White Farm Rd. *Buck* —2C **20**
White Friars. *Ches* —7J **15** (5B **28**)
White La. *Chris* —2F **27**
White Oaks Dri. *Nor H* —4C **10**
Whiterock Rd. *Penyf* —7K **21**
Whites Mdw. *Gt Bou* —2C **26**
White Way Gro. *Dee* —2D **12**
Whittle Clo. *Sand* —5E **12**
Whitton Dri. *Ches* —3A **16**
Wicker La. *Guil S* —3H **17**
Wiend, The. *Ches* —4K **15**
Wigdale, The. *Haw* —1A **22**
Wilde Clo. *Ewloe* —1G **21**
Wildmoor La. *Gt Bar* —6K **9**
Willan Rd. *Ches* —4D **14**
Williams Clo. *Ches* —5J **15**
William St. *Ches* —6K **15** (3C **28**)
(CH1)
William St. *Ches* —5B **16**
(CH2)
Willoway Rd. *Vic X* —6D **16**
Willow Clo. *Ches* —7K **7**
*Willow Ct. Dee —6F **3***
(off Kings Rd.)
Willow Cres. *Ches* —4C **16**
Willow Cres. *Con Q* —1F **11**
Willow Cres. *Haw* —1H **21**
Willow Dri. *Blac* —3D **14**
Willow Dri. *Flint* —3A **2**
Willow Gro. *Ches* —4D **16**
Willowherb Clo. *Hunt* —3C **26**
Willow Ho. *Ches* —6E **14**
Willow La. *Pen* —4C **12**
Willow Lea. *Moll* —5F **7**
Willow Rd. *Ches* —3F **25**
Willow, The. *Buck* —2D **20**
Willow Way. *Brou* —6F **23**
Wilton Rd. *Man* —6B **12**
Winchester Sq. *Ches* —4F **25**
Windermere Av. *Ches* —2C **16**
Windermere Av. *Con Q* —1H **11**
Windmill Clo. *Buck* —4D **20**
Windmill La. *Chris* —1G **27**
Windmill Ri. *Ches* —1K **15**
Windmill Rd. *Buck* —4D **20**
Windsor Av. *Con Q* —2H **11**
Windsor Av. *Shot* —2K **11**
Windsor Ct. *Ches* —1K **25** (6D **28**)
Windsor Dri. *Brou* —6E **22**
Windsor Dri. *Flint* —2A **2**
Windsor Rd. *Ches* —3F **25**
Winkwell Dri. *Ches* —4G **25**
Winscombe Dri. *Ches* —6E **16**
Winsford Way. *Ches* —6F **15**
Winston Ct. *Ches* —3C **16**
Wirral Vw. *Con Q* —1F **11**
Wirral Vw. *Haw* —7J **11**
Withy Cft. *Ches* —2D **26**
Witter Pl. *Ches* —6A **16** (3E **28**)
Woburn Dri. *Ches* —1B **16**
Wold Ct. *Dee* —1A **22**
Woodbank La. *Wood* —3G **5**
Woodbank Rd. *Dee* —2G **11**
Wood Cft. *Guil S* —4H **17**
Woodcroft Rd. *Buck* —3G **21**
Woodfield Av. *Flint* —3D **2**
Woodfield Clo. *Dee* —2G **11**
Woodfield Gro. *Ches* —3D **16**
Woodfields. *Chris* —2G **27**
Wood Grn. *Mold* —5G **19**
Woodhall Av. *Salt* —3E **24**
Woodland Bank. *Mick T* —6H **9**
Woodland Ct. *Flint* —3B **2**
Woodland Cres. *Dee* —2J **11**
Woodland Dri. *Flint* —3B **2**
Woodlands Av. *Ches* —4H **15**
Woodlands Clo. *Mold* —5G **19**
Woodlands Ct. *Man* —7C **12**
(nr. Banks Rd.)
Woodlands Ct. *Man* —1A **22**
(nr. Station Rd.)
Woodlands Dri. *Ches* —4A **16**
Woodlands Dri. *Haw* —2H **21**
Woodlands La. *Ches* —7C **16**
Woodlands Rd. *Ches* —2G **25**
Woodlands Rd. *Hunt* —3C **26**
Woodlands Rd. *Mold* —5G **19**
Woodland St. *Shot* —2J **11**
Woodland, The. *Dob* —5J **21**
Wood La. *Haw* —2G **21**
Wood La. *Penyf* —5F **23**
Woodlea Av. *Ches* —1B **16**
Woodside Clo. *Haw* —7J **11**
Woodside Ct. *Ches* —4J **15**
Woodside Rd. *Blac* —3C **14**
Wood St. *Sand* —5E **12**
Wood, The. *Penym* —7K **21**
Wood Ville. *Dee* —6B **12**
Woodville Gdns. *Syc* —2A **18**
Worcester Pl. *Blac* —4G **15**
Wordsworth Clo. *Ewloe* —1G **21**
Wordsworth Cres. *Blac* —3F **15**
Wordsworth M. *Blac* —3G **15**
Wordsworth Sq. *Blac* —3G **15**
Worseley Av. *Saug* —7A **6**
Worthington Ct. *New* —4K **15**
Wrekin Way. *Ches* —3F **25**
Wrexham Rd. *Ches* —7F **25**
Wrexham Rd. *Mold* —6F **19**
Wrexham St. *Mold* —5F **19**
Wroxham Clo. *Ches* —5K **15** (1C **28**)
Wylfa Av. *M Isa* —4J **19**
Wyndham Rd. *Ches* —4C **14**
Wynnstay Rd. *Brou* —5G **23**

Yarrow Clo. *Brou* —6G **23**
Yerburgh St. *Ches* —4K **15**
Yew Tree Clo. *Brou* —6G **23**
Y Gilfach. *Mold* —6F **19**
Yonne, The. *Ches* —7J **15** (4A **28**)
York Av. *Shot* —3K **11**
York Dri. *Mick T* —6G **9**
York Rd. *Con Q* —6E **2**
York St. *Ches* —6K **15** (3D **28**)
Yowley Rd. *Ewloe* —6H **11**
Yr Ydlan. *M Isa* —3K **19**
Ystad Goffa Ct. *Oak* —3D **2**